おいしい日本茶の事典

お茶を
もっとおいしく
もっと楽しむ

成美堂出版

もくじ

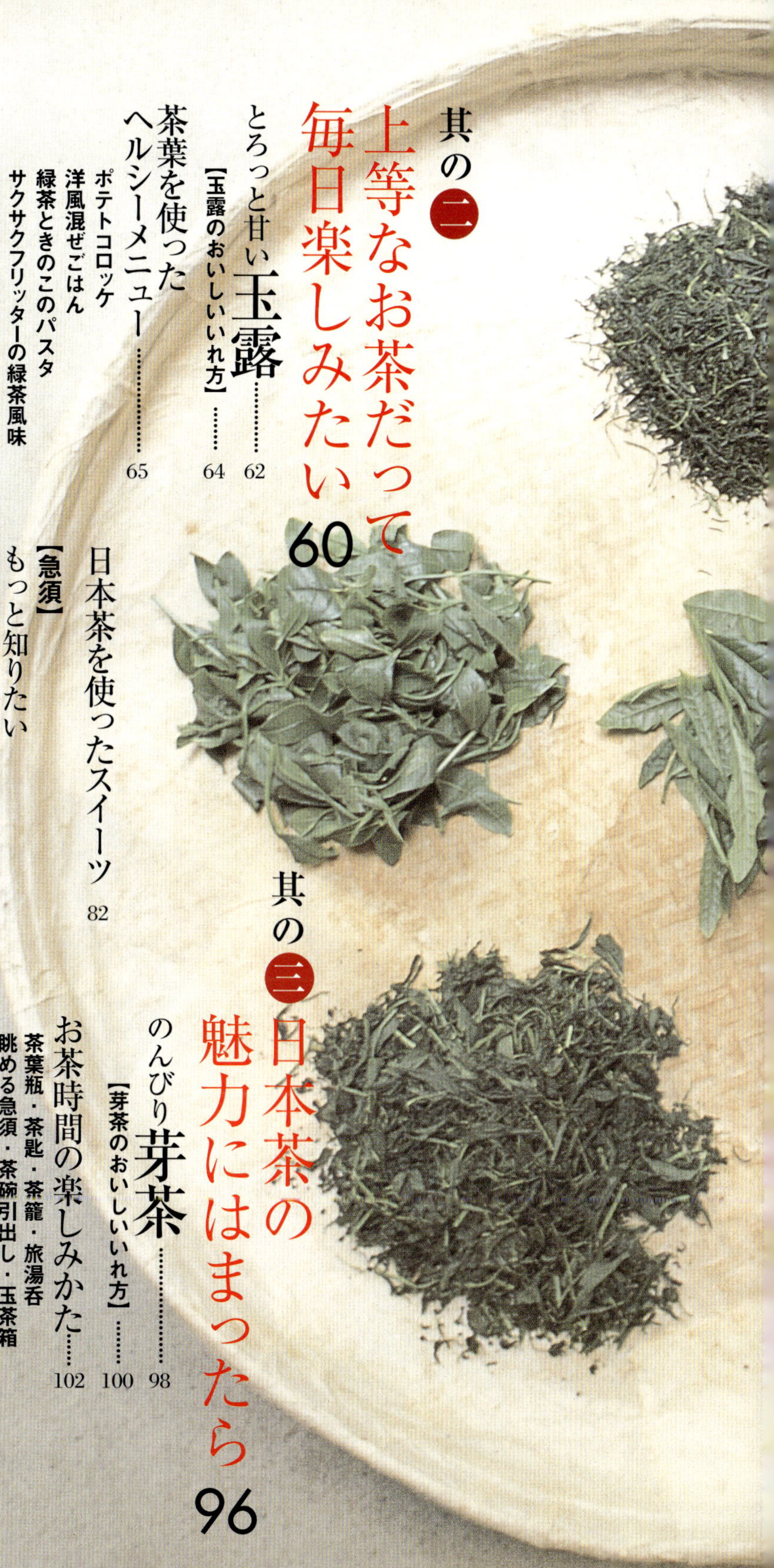

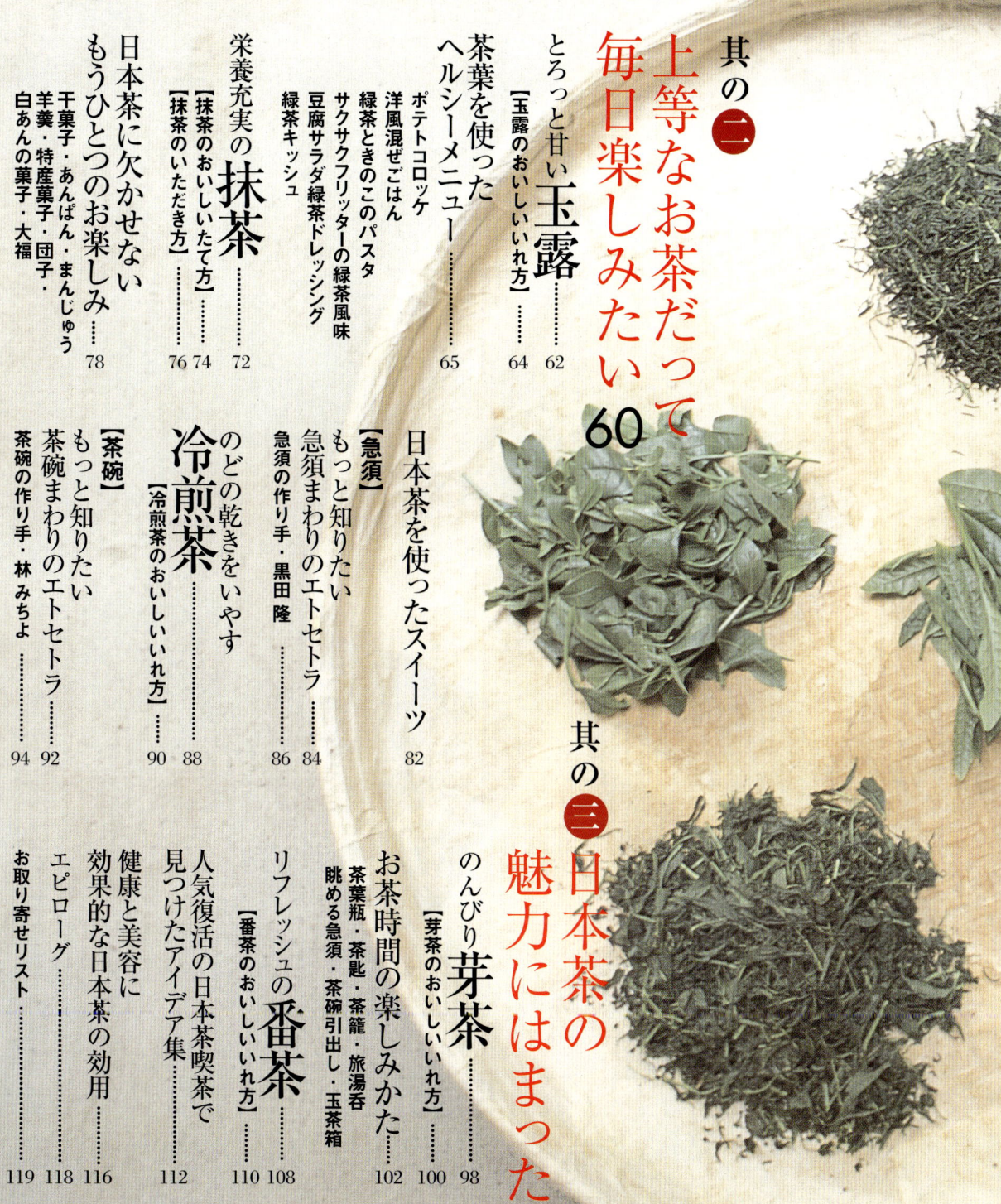

日本茶の魅力

お茶といっても日本茶には色々な種類があります。

お馴染みの煎茶や番茶に加え、日常茶として近頃人気が出てきたのが、茎茶や芽茶。いつものお茶と飲み比べると、お茶にもさまざまな風味があることに気づきます。茶葉ごとの特徴を知れば、気分に合わせてお茶を変える楽しみも増えます。

日頃から親しんでいるお茶もいれ方を工夫すれば驚くほどおいしい味わいに。

玉露、煎茶、焙じ茶などのお茶には、その茶葉ごとにそれぞれ最適ないれ方があります。茶葉の量、湯の温度、抽出時間など、ちょっとした工夫で、いつものお茶も数段おいしく、お茶本来の香りと味が楽しめます。

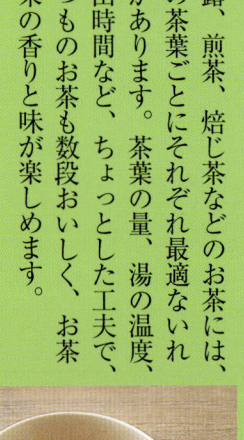

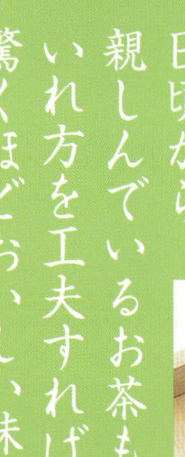

器まわりやお菓子にも
こだわれば、
お茶の時間の楽しみが
広がります。

五感をフルに使って楽しむことができるのが、お茶の魅力。お茶の色、香り、味わいに加え、茶器のぬくもりや手触りもお茶には大切な要素です。甘味でも辛味でも、お好みのお茶請けを添えれば、会話という楽しみもプラスされます。

一日に数回
お茶を飲む習慣は
健康を保つために
とても効果があります。

日本茶は体によい飲料として、また食品として見直されています。ビタミンCをはじめ、話題のカテキンも充実のお茶を毎日飲む習慣は、最も手軽な健康法のひとつ。茶葉を料理やお菓子に使えば、さらに効果が高まります。

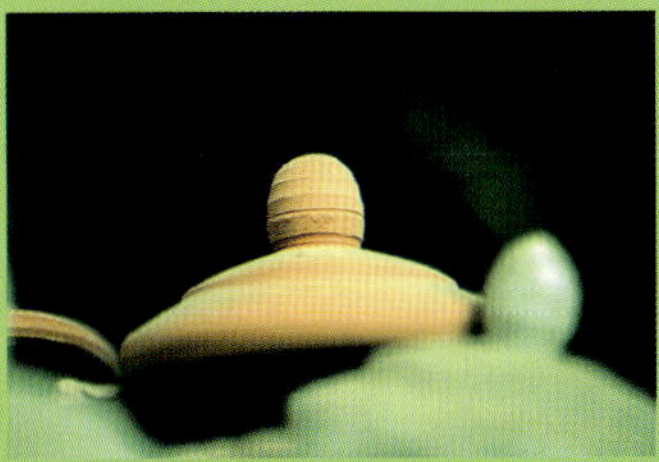

其の一

いつものお茶をもっとおいしく

毎日なにげなく飲んでいるお茶ですが
ちょっと基本を意識していれてみると
それぞれの個性的な香りと風味に
あらためて気づかされます。
たとえば煎茶は湯加減ひとつで
甘味が引き立ちもし、
また渋味が際立ちもします。
また焙じ茶や玄米茶の香り高さは、
熱湯でいれてこその味わい。
茶葉ごとの特徴を知って
いつもより少しだけ気を配れば
日本茶が、一層おいしくいただけます。

目覚めの煎茶《せんちゃ》

お湯の温度を調節することで
甘味と渋味のバランスをかえ、
いく通りもの味わいが楽しめます

清々しい黄緑色は、紅茶や代表的な中国茶にはない、日本茶ならではの水色。そして日本茶といえば、やっぱり基本となるのがこの煎茶です。

◎味わいと特徴　キリッとした苦味と、まろやかな甘味のバランスが絶妙で、なんといってもさわやかな香りが最大の魅力。煎茶には覚醒作用のあるカフェインが含まれているので、起き抜けのぼんやりとした頭をすっきりと目覚めさせてくれる効果もあります。また煎茶は、湯加減によってさまざまな味わいが楽しめるお茶。低めの温度でいれれば甘味とうま味がより引き出され、まろやかな味わいになります。反対に渋味を強調させたい場合は、高めの温度でサッといれるのがコツ。朝には少し熱いお湯を使い、煎茶特有の渋味を立たせるのがおすすめです。

すぐに飲みたいから、翌朝のためのお茶セット

朝起きたら、すぐにおいしい煎茶をいれられるように、自分のためのお茶道具を食卓にセット。中国茶用の小振りな急須は、1人から2人分の煎茶を入れるのにも手頃なサイズです。

白泥急須　黒田 隆
茶碗右上から右回り
加藤仁香　藤井憲之　伊藤慶二　岩田圭介

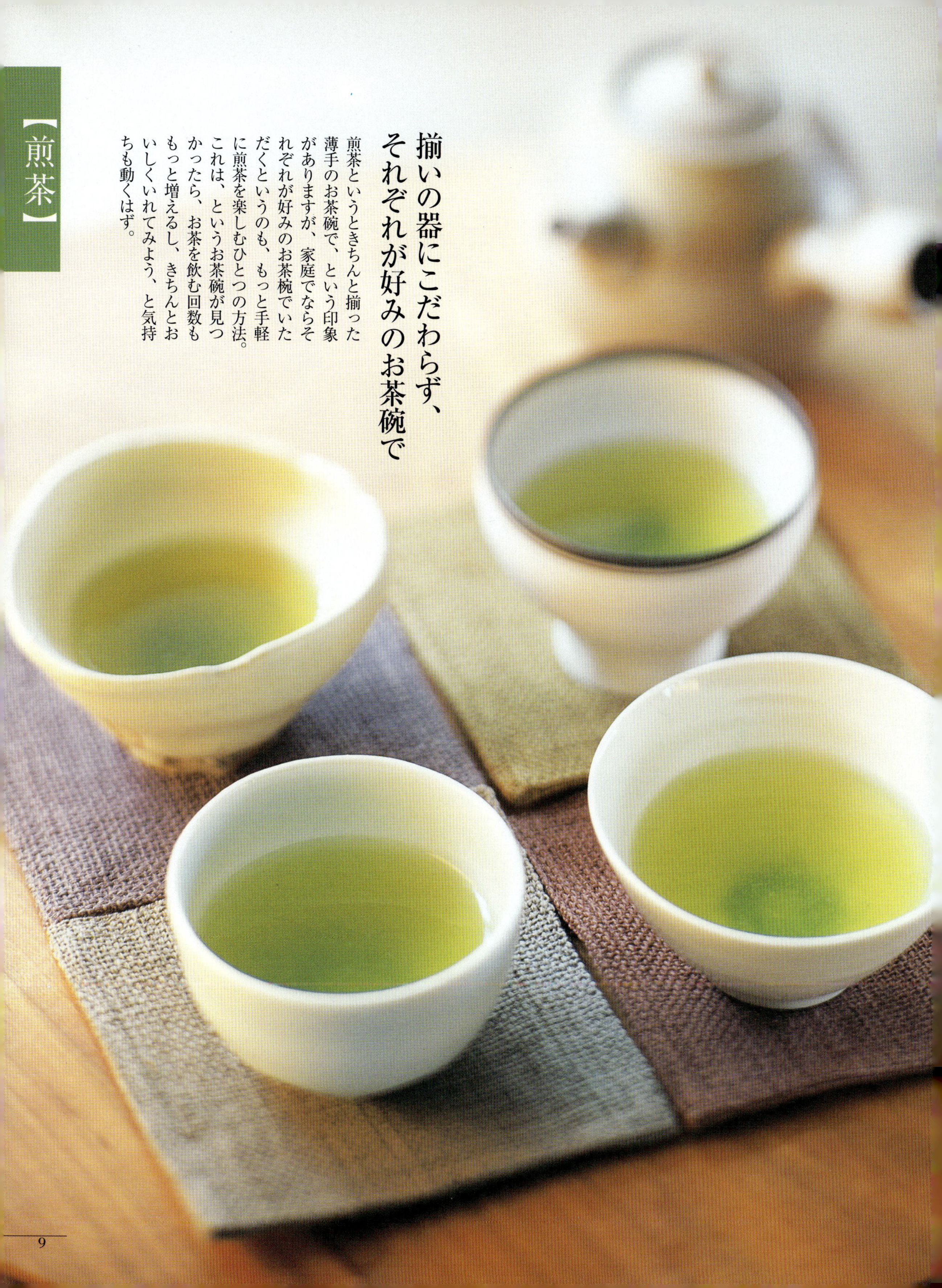

【煎茶】

揃いの器にこだわらず、それぞれが好みのお茶碗で

煎茶というときちんと揃った薄手のお茶碗で、という印象がありますが、家庭でならそれぞれが好みのお茶椀でいただくというのも、もっと手軽に煎茶を楽しむひとつの方法。これは、というお茶碗が見つかったら、お茶を飲む回数ももっと増えるし、きちんとおいしくいれてみよう、と気持ちも動くはず。

粉引急須　小山乃文彦
黄彩茶碗と皿　山田 晶

【煎茶】

4月の終わりから5月にかけてが新茶の季節。黄緑色の新芽がふくらみ出したら、新茶摘みはもうすぐ。

丹念な揉みと乾燥で、清涼感のある香りと風味を引き出します

◎**製法**　煎茶に代表される緑茶は、摘みたての茶葉を蒸気で蒸し、酸化を止めた「発酵させない」お茶です。蒸したあとはすぐに冷やし、茶葉の水分を除くとともに変色を防ぐため、水色には茶畑を思わせるような黄緑色を感じることができます。その後、茶葉を揉む工程を何度も繰り返し、さらには整形や仕上げの乾燥を終えてやっとおなじみの緑茶が完成。

最もおいしい煎茶が出回るのは、4月下旬から5月にかけての新茶のシーズン。一番摘みの煎茶は、香りも風味も最高のお茶として知られています。また産地の違いによって、いろいろな味わいが楽しめるのも魅力です。

煎茶

※水色（すいしょく）茶碗に注いだお茶の色のことを指します。

水色　理想的と言われたのは「金色透明」

煎茶の水色は黄色みがかった緑色。「金色透明」が理想的とされていますが、お湯の温度や抽出時間によっても水色や濃度は異なるため、個人的な目安とするには、おいしいと思った好みの味の色を覚えておくと役立ちます。

茶葉　鮮やかな濃緑色と細いより

何工程もかけてていねいに揉むことによって、茶葉が細くよれているのが特徴。葉を揉むことで、成分が抽出されやすくなります。ピンと細くよれ、さらに大きさが揃い、鮮やかな濃い緑色をしているものが上質。100g400円前後から5000円くらいのものまでと、価格もいろいろ。

お茶のみばなし

山間の茶畑

茶畑は、お茶の樹を栽培している畑のことで、茶園とも呼ばれています。山の傾斜を利用して作られた茶畑は、私たちには美しい風景として映りますが、お茶農家の人たちにとっては苦労もいっぱい。こう配がきついほど足場も不安定で、お茶摘みの作業も重労働です。機械が入らないほどの傾斜地では山登りのような体制での手摘みに。

上級の煎茶は70度と低めのお湯で長めにいれ、甘味とうま味を立たせます

煎茶のおいしいいれ方

お茶をいれる、といってもやり方は人それぞれ。各自好みの味わいがあるとはいえ、基本のいれ方を知っているとお茶のおいしさをまんべんなく引き出すことができます。たとえば湯加減と抽出時間。低めの温度で少し長めに入れると、甘味とうま味が引き立った味わいになります。これはお茶のうまみ味成分とされるテアニンが出るため。一方熱い湯で短時間に引き出されるのが、渋味成分であるタンニンです。一般に、玉露や高級煎茶は、低めの温度で時間をかけていれるのが基本。でも、少し渋味を効かせたいという場合は、一度沸騰させた後、90度くらいに下げたお湯でサッといれても、また違った味わいに。一煎目（一度目に入れるお茶）、二煎目といれ方を変え、それぞれに香り、甘味、渋味と順に楽しむのも煎茶ならではの楽しみ。まずは基本通りにいれて本来のおいしさを覚えましょう。

1 まずは急須と茶碗を温めて

沸騰させたお湯を急須に注ぎ、そのまま少しおいて急須を温めます。急須が冷たいと、適温の湯加減が保てません。

急須が温まったら、急須の湯を茶碗にうつし、茶碗も温めておきます。茶碗が温まったら、その湯を捨てます。

炭化焼〆急須　黒田 隆　白磁茶碗　藤井憲之

2 急須に、きちんと量った茶葉を入れます

茶葉（上級）は1人分2gが目安。茶碗3つ分なら6g（茶匙約2杯）の茶葉を急須に入れます。少人数の場合は茶葉を多めに。

3 適温のお湯を急須に注いで

上級煎茶には70度と、少し低めの湯が適温。一度沸かしてから適温に冷まして使います。1人分の湯量は上級茶で60cc、並なら90ccが目安です。

煎茶の温度

	茶碗の数	茶量	湯の温度	抽出時間
煎茶（上級）	3	6g	70度	2分
煎茶（並）	5	10g	90度	1分

4 温まった茶碗に注ぎます

上級煎茶の場合は2分、並なら（90度の湯で）1分の抽出時間を目安に、均等な濃さになるよう茶碗に注ぎ分けます。

5 最後の一滴まできちんと絞って

急須のふたを押さえ、急須に抽出液が残らないように軽くゆすって、最後の一滴まできちんと絞りきりましょう。

急須に抽出液が残っていると、二煎目のおいしさが半減。この一滴を絞りきるのが大切なポイントです。

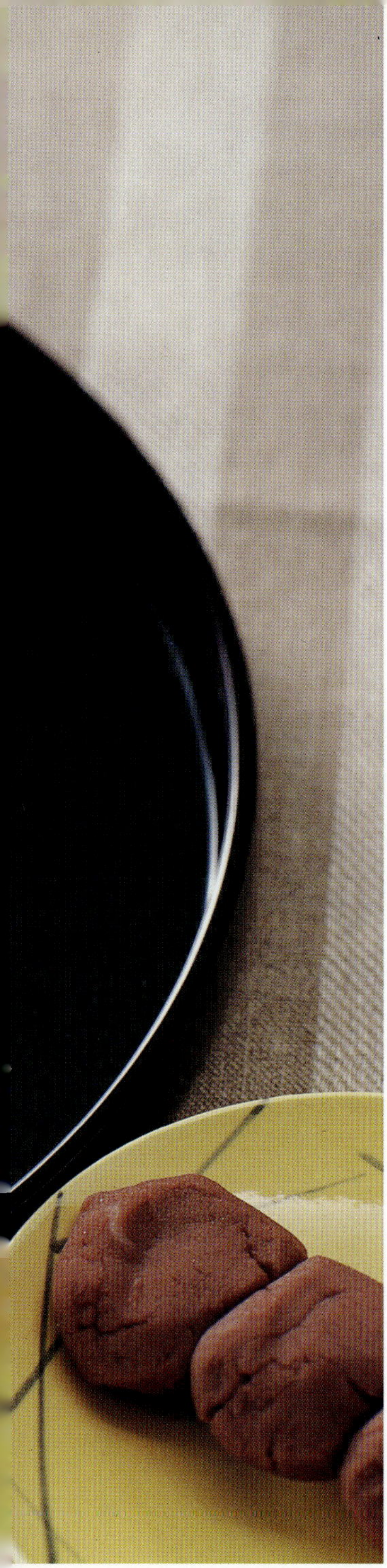

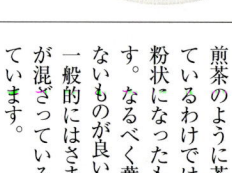

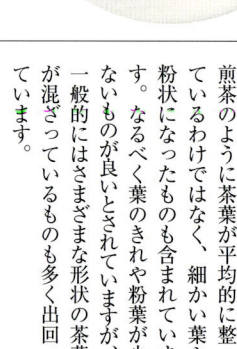

飲みやすさが人気の 深蒸し煎茶《ふかむしせんちゃ》

ここ1、2年、若者の間でもちょっとした日本茶ブーム。ペットボトル入りや缶入り飲料でも、ネーミングにこだわった日本茶が数多く出回っています。そんな中でも特に目立つのが「深蒸し」タイプ。"苦くなくて飲みやすい"というところが人気のようです。

◎**製法**　煎茶と同じ工程で作られますが、深蒸し煎茶の場合は、一般的な煎茶（浅蒸し）よりも茶葉を長い時間かけて蒸します。

◎**味わいと特徴**　蒸し時間が長いため香りが少し弱くなりますが、渋味がおさえられる分、濃厚なコクを残しつつも飲みやすい味わいに。これよりさらに長く蒸したものは「特蒸し茶」と呼び分けられています。

水色
少し濁りのある濃厚な黄緑色

茶葉を長く蒸す分葉の組織がもろくなり、注いだ時に細かい葉が入りやすくなります。そのため少し濁った感じになりますが、水色は濃いめの黄緑色に。茶葉が気になる場合は、細かい網目がついた急須や茶こしを利用して。

茶葉
さわやかな黄緑色

煎茶のように茶葉が平均的に整っているわけではなく、細かい葉や粉状になったものも含まれています。なるべく葉のきれや粉葉が少ないものが良いとされていますが、一般的にはさまざまな形状の茶葉が混ざっているものも多く出回っています。

白磁焼〆湯呑　加藤仁香

【深蒸し煎茶】

苦味と渋味をおさえた、
まろやかな味わいが
受けています

赤絵茶碗　赤地 健

深蒸し煎茶のおいしいいれ方

好みの湯加減で、手早く入れられるのも魅力

1 温めた急須に茶葉を入れて

急須と茶碗は前もって温めておきます。茶葉の量は5人分で10gと、煎茶(並)と同じくらいの割合で。

2 お湯を注ぎます

高めのお湯でいれる場合は90度くらいが適温。5人分なら450ccの湯量を目安に急須に注ぎます。

摘んだ葉を蒸気で蒸す工程。深蒸し煎茶の場合は、煎茶より長い時間をかけて蒸します。

ちょっとラフないれ方をしても、おいしいく飲めるお茶がいいな…という人にもぴったりなのが、この深蒸し煎茶。長く蒸されて茶葉の組織がもろくなっているため、短い時間でもお茶の成分を十分に引き出すことができます。90度のお湯を注いだ

深蒸し煎茶の温度

茶碗の数	茶量	湯の温度	抽出時間
5	10g	90度	30秒

お茶のみばなし

お茶の樹はツバキ科

お茶の樹は、ツバキやサザンカなどと同じツバキ科ツバキ属の常緑樹。その学名をカメリア・シネンシス（Camellia sinensis）といいます。日本茶、中国茶、紅茶と、それぞれに異なる味わいのお茶も、この同じお茶の葉から作られています。うま味成分のテアニンは、お茶やツバキなど一部の植物にしか存在しない特別なアミノ酸の一種。

場合、抽出時間は約30秒と煎茶（並）の半分。90度よりぬるめの湯加減なら、もう少し長く蒸らして甘味を立たせます。煎茶ほど気を配らなくても、手早く失敗なく、の手軽さも人気です。

3 抽出が早いので、煎茶より早めに茶碗へ注ぎます

茶葉を蒸らす時間はだいたい30秒。茶碗に少しずつ注ぎ分け、最後の一滴まで絞りきります。

左写真　黄茶碗　林みちよ

食事には粉茶《こなちゃ》

手びねり茶碗　小関康子

【粉茶】

サッと熱湯を注ぐだけで濃厚なお茶が手軽に味わえます

お鮨屋さんの"アガリ"でお馴染みの粉茶。このお茶は、煎茶や玉露を作る過程で粉末化した茶葉を選別したものです。目の細かい茶こしに茶葉を入れ、熱いお湯を一気に注ぐとすぐに濃いお茶が楽しめます。大勢で集まって、次々とお茶をいれなくてはならない時などには、この粉茶が活躍。

◎**粉茶のおいしいいれ方**　3人分なら4〜6gの茶葉に対して、250ccのお湯を注ぐのが目安。煎茶同様、湯の温度はぬるめのほうが甘味が引き立ちますが、粉茶のキリッと苦く、濃厚なおいしさを引き出すなら、熱いお湯でいれるのがおすすめです。最近ではお茶の売場にも、各産地ご自慢の粉茶が種類多く並び、飲み比べる楽しみも。価格も手頃なので、もっと普段使いに活用したいお茶です。

粉茶や深蒸し煎茶には、網目の細かい茶こしがついた急須が便利。お茶屋さんによると、紅茶や中国茶にも兼用できるこのタイプの急須が最近の売れ筋だとか。

茶葉 ごく細かい冴えた緑色の葉

粉茶、といっても全部が粉末状になっているわけではなく、ごくごく細かい茶葉が主になり、粉状の葉が混じっています。玉露から選別された粉茶は鮮やかな緑色を、煎茶から作られる粉茶も同様に冴えた緑色をしているものが良質とされています。

水色 鮮やかな深い緑

粉状の葉が多いため、茶碗に注いだときに茶葉が多く混ざり、濃厚な緑色のお茶になります。普通に飲む分にはあまり気になりませんが、茶葉を除きたい場合は、細かい目の茶こしや、深蒸し茶用の急須を使っていれます。

昔ながらの竹製の茶こし。編み目の隙間から茶葉が出そうな気がしますが、見事に茶葉を内側にキープ。使った後はかごなどに伏せ、よく乾かしておきましょう。

お茶のみばなし 荒茶は煎茶の原料茶

「煎茶」として完成する前の段階のお茶が「荒茶」。摘みとられたばかりの葉は、蒸して揉んで乾かしてと、その日のうちに荒茶に仕上げられます。いわば出き立てほやほやの原茶がこれ。

お鮨に合わせるなら熱々の粉茶。生臭みを洗い、すっきりとしたあと味に

お鮨と一緒になにを飲む？と聞かれたら、熱燗が旨い、いや冷酒に限るなどなど、きっと答えは十人十色。でも握り鮨と最も相性がよいものは、なんといっても粉茶です。江戸前では、ひとつを味わったらガリで消して粉茶で洗い、また新たな魚を味わう、というのが粋な食べ方と言われています。

◎**味わいと特徴**　お鮨を食べている途中で熱い粉茶を飲むと、魚特有の生臭みや脂が消えて、口の中がすっきりとします。これがぬるめのお茶だと、逆に生臭さを引き立ててしまうので、お鮨や刺身にはやっぱり熱湯でいれる熱々の粉茶が最適です。もとは玉露や上中煎茶用の茶葉なので、キリッとした渋味と同時にうま味もあります。

　また粉茶は、粉状の茶葉が茶碗に多く入るため、濃厚な味わいを楽しめると共に、栄養豊富な茶葉をより多く摂取するメリットも。

白身にトロに光りもの
いろんなお鮨を堪能
するなら、合間に粉茶

【粉茶】

100g300円くらいからと値段も手頃で、6月頃には香り高い新茶の粉茶も出回ります。

茶こしを使って直接茶碗に入れるほか、いったん急須に受けてから茶碗に注ぎ分けても。また急須に直接粉茶を入れる場合は、お湯を注いだらすぐ茶碗へ。

茶の伝来

日本茶のルーツは中国からの留学僧たちの手でもたらされた種子から始まった. . . 。

世界には紅茶や中国茶、日本茶など、いろいろなお茶がありますが、原料は同じツバキ科の常緑樹。中でも日本で一番飲まれているのは、ご存知の通り日本茶です。現在、私たちが日常的に何気なく飲んでいるこの日本茶、これほど親しまれるまでには実は長い年月がかかっているのです。そのルーツをたどってみると、もともと日本にも茶の樹があったという説もあるものの、中国からの伝来説が有力なようです。

特権階級に、薬として珍重されたのが始まり

一番最初に日本にお茶を伝えたと言われているのが、奈良・平安時代に中国へ渡った遣唐使や最澄、空海らの留学僧たち。彼等は中国でお茶のいろいろな効能を経験し、その種子を日本に持ち帰ったと伝えられています。当時、日本の天皇や貴族達は中国に憧れ、さまざまな文化を輸入していましたが、お茶もその中のひとつでした。

とはいえお茶は大変貴重なものだったために、貴族や僧侶など特権階級にしか縁のないものでした。

しかし、やがて遣唐使が廃止され、同時にお茶への興味も薄れたのか、その後300年間もの間文献にも登場しなくなってしまいます。

その後再びお茶が日本に伝えられるのは、鎌倉時代になってからのことでした。禅の修行のために中国に留学していた栄西（臨済宗の開祖）が茶の種子を持ち帰り、植えたことがきっかけでした。栄西は日本で初めてのお茶の本、「喫茶養生記」を著します。この中で栄西は、お茶は五臓六腑の薬であり、不老長寿の秘薬として紹介しています。「茶は養生の仙薬、延命の妙術なり」と、その効能を記した言葉は有名です。近年になって明らかにされたお茶の効用が、すでにこの頃に言明されていたわけです。そしてこの時代には、お茶は貴族社会だけのものから、禅宗と結びついていた武士の間にも広まっていきました。

江戸時代に、嗜好品としての日本茶が確立

ここまでは薬としての効果が主に珍重されてきたお茶ですが、室町時代後期になると少しずつ町人たち庶民が、嗜好品として掛茶屋で一服一銭のお茶を楽しむところまでに普及していきます。

それから桃山時代に千利休が茶の湯、侘茶（わびちゃ）という文化を作りあげると、ますます町人階級に広まり、現在の茶道へと受け継がれることになります。そして、江戸時代中期になると、自由に飲むことのできる煎茶が急速に一般に浸透し、現在のようなお茶の楽しみ方が広まっていくことに。

こうして驚く程長い長い年月を経て、お茶は日常茶飯事という言葉にもあるように、私たちの毎日の生活の中に欠かせないものになっていったのです。

ひと目で
パッとわかる
お茶の葉ノート

毎日当たり前に飲んでいるお茶。
でも、その種類や味わいは様々です。
そこでそれぞれの特徴をまとめてみました。

【煎茶】

日本茶といえばやっぱり煎茶。清々しいさわやかな香りとキリッとした苦味、まろやかな甘味のバランスがなんとも言えず魅力的で心地よい日本茶の代表選手です。

【深蒸し煎茶】

その名の通り茶葉を蒸す時間が長いため、苦味や渋味が柔らかで飲みやすいマイルドな味わいの深蒸し煎茶。手早くいれられるため、日常使いのお茶として人気があります。

【煎茶茎茶】

茎や葉柄の部分を集めて作られる煎茶茎茶は青々とした香りと若々しいシャープな味わいが特徴です。気分をすっきりリフレッシュしたい時におすすめのお茶といえます。

The Leaves of the tea

【粉茶】

煎茶や玉露の製造工程で出た粉の部分を選別して作られた粉茶はお寿司屋さんのお茶でお馴染み。熱いお湯で一気にいれると濃厚で苦味のあるおいしいお茶が楽しめます。

日本茶を代表する煎茶のいろいろ

日本茶の中でも最もポピュラーなのが煎茶です。煎茶は生葉を蒸す、揉む、乾燥させるという工程で作られますが、その種類はいろいろ。蒸し時間が長く、飲みやすいことで最近人気の深蒸し煎茶、また煎茶作りの工程の途中で出る煎茶茎茶や粉茶など、好みや用途に合わせて使い分けたいものです。

甘味が際立つ高級茶

上等なお茶の中には高級煎茶も含まれますが、それ以上に甘味が豊かで濃厚な味わいなのが玉露。また、玉露と同様に特別に日陰で栽培した茶葉を乾燥し、石臼でひいて粉末にしたものが抹茶です。これらの高級茶は、ふくよかなうま味と甘味が特徴の日本茶の最高峰といえるでしょう。

【抹茶】

抹茶は茶葉を粉末にしたもので、茶碗に直接お湯を注ぎ、茶筅で泡立てていただく独特な飲み方のお茶。茶葉そのものを飲むため、ビタミンや食物繊維がたっぷりで甘味もこくも豊かな健康にも良いお茶といえます。

【玉露】

新芽の時期に直射日光を遮った日陰で育てることで、うま味成分のテアニンをたっぷり含み、独特の甘味を持った茶葉に仕上げたものが玉露。とろりとした甘味のある風味が独特の、日本茶の最高峰です。

【玉露茎茶】

玉露の茎や葉柄だけで作られた茎茶は、「雁が音(かりがね)」と呼ばれ、若々しい風味とうま味を持つお茶として珍重されています。葉茶と違い、一煎だけを楽しむお茶です。

The Leaves of the tea

【番茶】

番茶は、煎茶にする茶葉を摘んだ後、夏から秋に摘まれる二番茶で作られたお茶。煎茶より甘味は少ないのですが、さっぱり軽い味わいなので食後のお茶として広く飲まれています。

【芽茶】

玉露や煎茶を作る過程で丸まった芽の部分を集めて作られるお茶が芽茶。香りが強く、苦味のある濃厚な味わいのお茶です。すっきりとリフレッシュしたい時にもぴったり。

気楽に楽しむ日常使いのお茶

毎日の暮らしの中で、食事に合わせて、手軽に飲めるのが番茶や玄米茶、焙じ茶などの日常使いのお茶。渋味成分が少なくさっぱりした味わいのものが多いのですが、種類が豊富で、好みや食べ物に合わせて気軽に楽しめるのがうれしいところです。日頃からたっぷり飲みたいお茶です。

【玄米茶】

こんがり炒った玄米を番茶や煎茶に加えたお茶。玄米の香ばしい香りがなんとも言えない魅力です。玄米にはビタミンBやEが豊富なので、ビタミンCやミネラルを含む緑茶とのコンビで滋養にもよいお茶です。

The Leaves of the tea

【京番茶】

名前は番茶となっていますが、作り方は焙じ茶に似て、茎などが付いたままの三番茶、四番茶を蒸し、乾燥し、炒って仕上げます。煮出して飲むのが特徴のさっぱりしたお茶です。

【茎焙じ茶】

煎茶や玉露の茎茶を強火で焙じて作られるお茶。香りが高く、さっぱりとした味わいでファンも急増中。冷茶やお茶漬け用にもその香ばしい香りがおいしさを増してくれます。

【焙じ茶】

番茶や下級煎茶を高温で炒って作るお茶。渋味や苦味がほとんどなく、カフェインやタンニンが少ないので、子供やお年寄りにも安心です。香ばしさや口当たりのよさも特徴です。

【そば茶】

そばの実を焙じて作られ、香ばしく、ルチンやビタミン、ミネラルなど、そばに含まれる栄養素も豊富に摂れる健康茶です。タンニンやカフェインもなく、家族中で楽しめます。

ひと休みの茎茶《くきちゃ》

見るからに野趣あふれる姿の茎茶は、玉露や煎茶をつくる過程で出る、茎や葉柄の部分を集めてつくったお茶。玉露だけでつくった茎茶は「雁が音（かりがね）」と呼ばれ、独特の風味があるお茶としてお茶通の間では特に珍重されています。茎ならではの青々とした香りとさわやかな軽い味わい、そして薄い水色。葉茶と比べて若々しいシャープな味は、気分をリフレッシュさせたい時におすすめです。家事や仕事の合間の、ひとときの休息。またほっとひと息つきたい時は、気分転換に気に入った茶器で茎茶を一杯。気持ちもキリッと引き締まります。

葉茶と違って二煎、三煎と飲むことはしない茎茶ですが、高級茶に負けないうま味を含み、100g450円くらいからと値段がリーズナブルな点も人気です。

「茎茶」といっても種類はいろいろ。個性派揃いの味わいです

煎茶茎茶

水色　黄色味を感じる薄い水色

比較的薄い色合いで、黄色味が強いさわやかな水色です。茶葉は茎が主なので、茶碗に注いだときの濁りも少なく透明感が際立ちます。

茶葉　つやがあり揃った太さの茎

淡い緑色の茎と、濃い緑の葉柄のツートンカラーが美しい茶葉。茶色味を帯びたり黒ずんでいるもの、また極端に太い茎などが混じっていないものが良質。全体につやがあり、茎特有のさわやかな香りが感じられるものを選びましょう。

玉露茎茶

水色　澄んだ淡い黄緑色

煎茶茎茶とほぼ同じように、比較的淡い黄緑色の水色です。透明感がありますが、少しとろっとした濃度も感じられます。

茶葉　冴えた緑色でつやのある茎葉

つやのある冴えた緑色のものが良質。煎茶茎茶同様、変色した茎が混じらず、茎の太さが揃ったものを選びたいもの。もともと最上級の玉露から作られるので、茎の品質も良質なものが揃っています。商品には玉露茎茶のほか、雁が音という名でも多く出回っています。

茎ほうじ茶

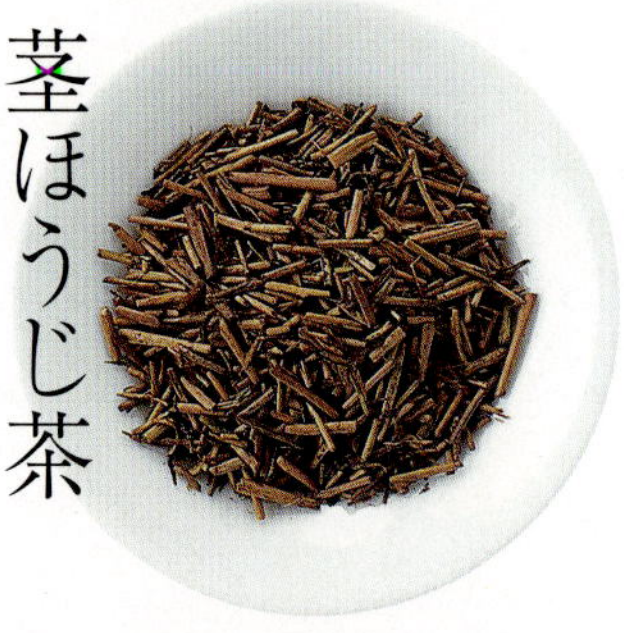

水色　透明感のある茶色

焙じ茶とほぼ同じ色合いの、少し赤味を帯びた茶色の水色です。茶碗に注ぐと、粉状の葉が沈みますが、全体に透明感があります。

茶葉　香ばしい香りと淡い茶色

煎茶や玉露の茎茶を強火で焙じてあるので、茶葉の色は茶色。葉を使う焙じ茶がかすかに緑色を残した茶色なのに比べ、全体に淡い茶色で揃っています。焙じたお茶はなんといってもその香りが身上。あまり香りがしないものは避け、独特の香ばしさに溢れたものを。

【茎茶】

灰志野釉茶碗　三浦千穂
鉄皿　増田尚紀(鋳心工房)
盆栽　小林健二(創園)

さっぱりとした
風味の茎焙じ茶
冷茶仕立てにしても
強い焙じ香が楽しめます

黒織部筒碗、黒織部盃　山口正文

【茎茶】

高級茶のうま味に加え清々しい香りと喉ごしが魅力

煎茶や玉露を作る工程で選り分けられた茎や茶柄を集めたお茶、と聞いて"な～んだ茎なの"とあなどれないのが、この茎茶。元をたどれば高級煎茶や玉露と同じ茶葉なのですから、品質も風味も当然保証ずみです。茎茶ならではの最大の魅力は、すっきりとした喉ごしの、軽快な味わい。葉を主としたお茶にはない軽やかさと、清々しい香りがリフレッシュ効果をもたらしてくれます。

◎茎茶の呼び名　玉露茎茶、煎茶茎茶、茎ほうじ茶など、茎茶にはいろいろな種類が市販されていますが、ちょっとまぎらわしいのが、そのネーミング。茶葉の姿形から、茎茶は「棒茶」とも呼ばれているので、「雁が音・棒茶」は玉露の茎茶のこと。また「雁が音・焙じ茶」とあれば、それは玉露茎茶を焙じたお茶のことを差します。

◎味わいと特徴　玉露や高級煎茶の若い茎を選んで作られる茎茶は、どことなく甘味を含んだ優雅な風味。一方茎焙じ茶は香り高く、さっぱりとした味わいが持ち味です。種類が増えると共に愛好家が急増中の茎茶。あれこれと飲み比べて、こだわりの茎茶を探すのも一興です。

茎焙じ茶には、浅く焙じたものや強火で焙じるものなど、仕上げ方の違いでいろいろな風味が楽しめます。また茎焙じ茶は、お茶漬けにもおすすめのお茶。熱いお湯を入れた途端に強調される香ばしさが食欲をそそり、しかも軽くさっぱりとした口あたりなので、ご飯にのせる具の風味を邪魔することなく味わうことができます。夏場には冷茶にしてもおいしく、小さな子供にもおすすめの飲みやすさ。毎日楽しむお茶として、もっと見直したいのが、茎茶です。

茎茶のおいしいいれ方

茎茶を入れる際は、その種類に合わせて入れ方も変えましょう。たとえば玉露茎茶なら、玉露の入れ方に準じて少しぬるめの湯を使い、甘味ととろみを引き出します。同様に煎茶茎茶は煎茶を入れる方法で。また茎焙じ茶は、焙じ茶と同じく熱いお湯を注いで香りをより立たせます。

お茶のみばなし

八十八夜

"夏も近づく八十八夜……"と歌われる八十八夜。これは立春から数えて88日目のこと、現在の暦でいえばちょうど5月1日から2日頃にあたります。まさにこの時期は新茶の摘採が始まるシーズン。ゴールデンウィークともなると、全国の茶畑では南から北へと順に茶摘みの最盛期を迎えます。

日本茶のためのおいしい水

おいしく日本茶をいれるための要素のひとつが水。ただ、ひとくちに水といってもいろいろあり、その特性を知ることも必要です。最近では、ブームもあって、ミネラルウォーターでお茶をいれるという人も多いようですが、これにもその成分によって軟水、硬水などの種類があり、一概にお茶をおいしくするとは限りません。そこで、まずは水の硬度について考えてみましょう。

ミネラルの含有量で決まる水の硬度がお茶の味を左右する

ミネラルウォーターとは、いったいどんな水のことをいうのでしょうか。その大部分は「地下水を水源とし、最小限の処理をしたもの」で、川の水などの地表水を利用していることの多い水道水とは基本的に違う水といえます。

地下水が水源であるミネラルウォーターは土壌などの構成によって、含まれる成分が違ってきます。その成分によってミネラルウォーターは、軟水、中軟水、硬水などのタイプに分けられるのです。

そもそも水の硬度というのは、カルシウムやマグネシウムなどのミネラルをどれだけ含んでいるかで決まります。ミネラル分が多い水は硬度の高い硬水とよばれ、ミネラル分が少ない水は軟水と言われます。外国のミネラルウォーターの中には硬度が高い硬水が比較的多いようです。逆に日本の地下水はもともと軟水で、一般的には日本茶にも軟水が合うと言われています。なぜなら、水の硬度が高過ぎるとお茶のタンニンが上手く抽出されず、低すぎると香りがたたなくなってしまうからです。よく、欧米など旅行先で日本茶を飲もうとしたら、香りが全くたたなかったとか、緑茶とは思えない変わった水色になったと聞きますが、これは水が硬水だったことが理由でしょう。

ミネラルウォーターを使って日本茶をいれる時は、成分表示を確かめ、カルシウム分の少ない（目安は1ℓ中200mg以下）軟水を選ぶことがおいしくお茶をいれるコツといえます。

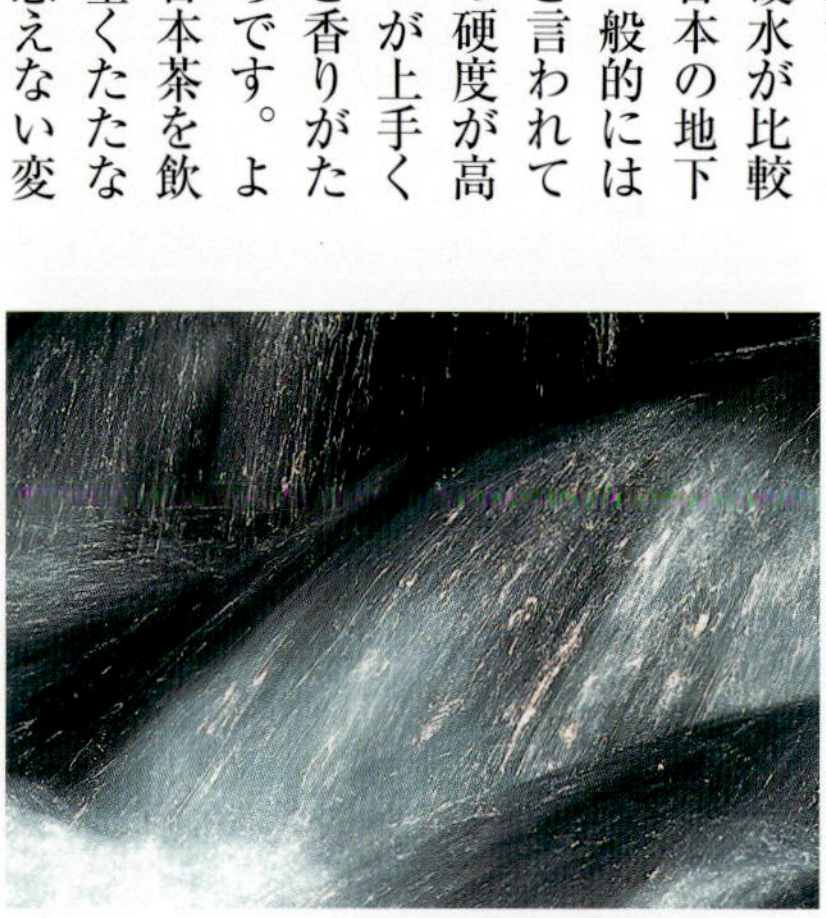

おいしいお茶をいれるには
水へのこだわりも大切。
良質の水を選ぶことに加え、
ちょっとした工夫をすることで
日本茶のおいしさを
引き出すことができます。

南部型鉄瓶 霰　及川寛治

4

2

1

5

3

水道水も工夫次第で おいしい水に 変えられる！

ミネラルウォーターの全てが日本茶をおいしくするわけではないことが分かっていただけたでしょうか。となれば本来、軟水である水道水にも出番があるはずです。水質について問題になりがちなカルキ臭は工夫次第で除くことができることもわかっています。たとえば、一晩汲み置いただけでもぐっとまろやかな口当たりになりますし、一度沸かしてから水差しなどに入れておけばさらに臭みが抜けます。台所に漬物用などの手頃なサイズのかめをおいて汲み置き専用にするのもよいアイデアです。もちろん簡単な浄化装置をつけるのも効果的です。

こんなふうに工夫をすれば、水道水もおいしいお茶のための水として充分活躍できそうです。

水道水は必ず沸騰させ カルキ臭を抜くこと これが鉄則のひとつ

水道水でお茶をいれた時、いちばん気になるのがカルキの匂いです。地方によって匂いには多少の差はありますが、河川の水質が悪いところでは塩素消毒によってカルキ臭が強く出て、繊細な日本茶の香りを消してしまうなど、風味に悪影響が出てしまう大きな要因になります。

これを消すのに効果的なのが沸騰させて匂いを抜く方法です。やかんのふたをあけ、3分ほど煮立てることでマグネシウムやカルシウムなどが除かれ、硬度が低まり、同時にかなりの匂いが飛んでいきます。ただし、あまり沸騰を長く続けると水の成分が破壊され、お茶をいれた時の水色が悪くなってしまうので、注意が必要です。

日本茶を飲む時には、水道水は完全に沸騰させた後、しばらく放置してから使うようにこころがけ

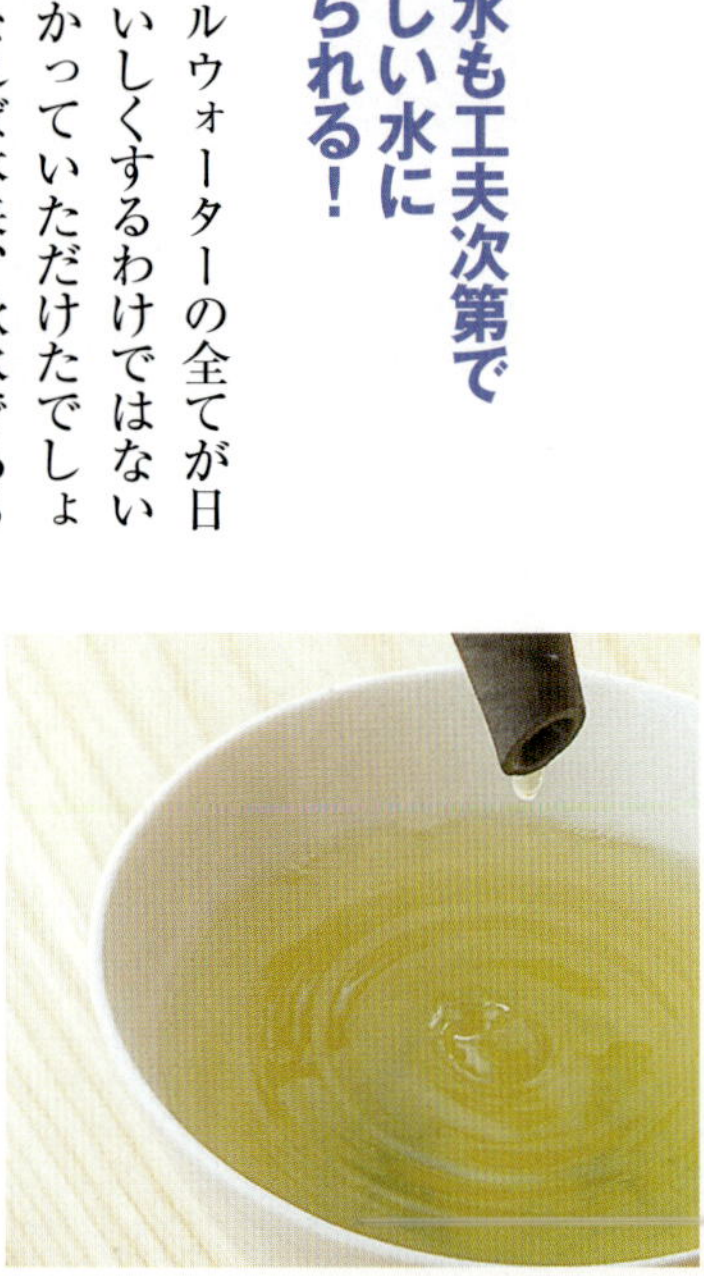

1 日本の地下水はほとんどが軟水。
2 お茶の味わいも水ひとつで決まる。
3 炭は水を浄化し、お茶の味をクリアに。
4 炭を使う時は一度洗ってから、が基本。
5 最近人気の竹炭のおしゃれなセット。
6 手頃な水差しを汲み置き専用にしても。

6

ましょう。

竹炭を入れた水を汲み置きすることで水道水は浄化される

しばらく前から、空気を浄化する作用や食べ物の味をよくする、電磁波を吸収して体調を整える、ごはんを炊く時にひとかけら入れることでおいしい仕上がりになる、お風呂に入れるとお湯が柔らかくなる、花瓶の水に入れると花が長もちするなど、様々な効果があることで話題を呼んでいるのが炭の効用。今やちょっとしたブームになり、マスコミなどでもあちこちで取り上げられています。

水道水の場合ならまず、脱臭効果があり、カルキ臭を消してくれます。その上、水の浄化にも役立ちます。水道水は汲み置きしておくだけでもカルキ臭を消す効果があるのですが、そこに炭を入れて置くと炭の効果で水が浄化され、よりクリアな味の水になるのです。炭の中でも木炭より竹炭が効果的と言われています。ぜひ、一度試してみてはいかがでしょう。お茶の味がぐんとおいしくなること請け合いです。

古くからお茶に使う鉄瓶でお湯を沸かせばお茶の味わいもアップ

お茶の世界では古くから鉄製の器具が使われてきました。製茶の道具や湯沸かしの鉄瓶はその代表です。鉄は造血作用があり、特に女性の体にとって必要な栄養素で、日本茶、なかでも煎茶に多く含まれていますが、鉄瓶を使うことでお湯の中に鉄分が抽出し、より多くの鉄を摂取できることになるのです。

それに加えて、鉄瓶でお湯を沸かすとお湯が冷めにくく、沸騰点より低めの温度で出したい玉露や煎茶には、鉄瓶で沸かしてしばらくおいたお湯が適温になることもお茶好きには注目される点のひとつです。

そんな鉄瓶が今、密かなブームになっています。そのシンプルなデザインやずっしりとした重み、丸みのある温かなイメージが人気を呼んでいるのでしょうか。雑誌や食器売り場などでもよく目にするようになりました。食や器にこだわりを持った人たち、お茶通の人たちの間でも話題になっているようです。「ぶんぶく茶釜」のお話などにも登場するように、昔からお茶には欠かせない道具のひとつが鉄の釜や鉄瓶だったのです。これもお茶をおいしくいれるお湯を沸かす、先人の知恵なのでしょう。ひとつ身近においてみてはいかがですか。

こう考えてみると、おいしくお茶を飲むための工夫も楽しいものですね。

お茶農家を訪ねて

大井川に沿って続くお茶街道、川根路。八十八夜を

迎える頃ともなると
山間の茶畑は、
若芽の黄緑色に
染まります。

お茶処として知られる
静岡の中でも
古くから伝わる銘茶として
名高いのが「川根茶」です。
山間地特有の地形が
もたらす昼夜の寒暖差。
川根の地ならではの
この気候が甘味のある
新芽を育みます。
新茶摘みが盛んになる5月
本川根町の茶畑を訪ねました。
やわらかな若芽は
大切に摘みとられ
おいしい一番茶になる
準備をはじめます。

1

新茶摘み

傾斜地での茶摘みは技に加えて体力が勝負重い茶刈り袋をさばきながら丹精込めた茶葉を刈り進みます

2

1茶樹の畦をはさみ、2人1組になっての摘採。畦ひとつ刈るのには一往復します。
2小倉千和子さんは、川根茶と同じ茶葉を使って紅茶づくりもしています。
3山裾に広がる茶畑。広大な面積を息の合った作業で摘採していく小倉さん夫妻。
4さわやかな黄緑色に生え揃った若芽。この柔らかな若芽と芯を摘みとります。

4

3

5霜の害を防ぐ"防霜ファン"。温かい空気を送ってお茶の樹を守ります。

"川根茶の里"本川根町では、4月の末から5月のはじめにかけて新茶摘みのシーズンを迎えます。古くからこの地でお茶農家を営む小倉農園でも、朝早くから夜遅くまで、茶摘みと荒茶づくりの作業に大忙し。陽がのぼり、茶葉についた朝露が乾いたら、新芽を摘む摘採(てきさい)のはじまりです。

摘採は、畦(うね)に仕立てられた樹をはさむようにして2人が機械を持ち、畦の片面の新芽を刈りとっていきます。残りの片面を刈るためには、同じ畦を折り返して進みます。傾斜地に加えて畦間が狭いため、重い機械をかかえながらの往復は大変な作業。それでも新茶の季節はほんの一瞬。大切に育てた新芽が最高の状態のうちにと、休む間もなく摘採が続けられていきます。

摘採機に取りつけられた茶刈り袋には、みるみるうちに黄緑色の若芽がたまり、いっぱいになる頃には、その重さは10〜15kgにもなります。刈るごとに重さを増していく袋を巧みにさばきながら、畦から畦へと作業は続き、1日に刈りとる量は約400kg！ 山々にこだまする摘採機の音に交じって、時折聞こえてくるのはうぐいすの声だけ。そんな静けさとのどかな風景の中で、1日中茶摘みの作業が繰り返されるのです。

若芽の鮮度を損なわない気配りも

おいしいお茶を作るためには、まずは茶葉の鮮度がなによりも大切。摘採したばかりの葉が蒸れないように、茶刈り袋にもそのための工夫がされています。袋の中ほどがメッシュになっているため通気性に優れ、茶葉の蒸れを防止。丹精込めて育まれたお茶の葉は、刈りとられる時にも十分に気配りされて、大事に大事に扱われています。農家の人々が手を休めず茶摘みに精を出すのは、それくらい新鮮なお茶を届けたいからにほかなりません。

6小倉農園3代目の小倉高雄さん。茶葉を育てるとともに荒茶づくりの名人。
7茶畑が傾斜になっている分、作業も大変。
8この狭い畦間を進んで摘採。素人が歩くと蟹歩きに‥。
9茶刈り袋に吸い込まれていく若芽。葉が蒸れないよう、中央部分はメッシュに。
10摘採したばかりの茶葉。新鮮な香りとおいしさがここに詰まっています。

1周辺のお茶農家からも、摘みとられたばかりの茶葉が次々と集められてきます。
2そのままつまみたくなるほどに新鮮な茶葉。当然ですが噛むとお茶の味が。
31年でもっとも活気づく新茶の季節に、小倉さださんも仕事に精を出します。
4直径90㎝はある大きな平かごに広げ、中央をくぼませて通気をよくします。

茶摘みを終えて

平かごいっぱいに集められたお茶の葉 新鮮なおいしさを逃さないよう 休む間もなく次の作業へ

若芽でいっぱいになった袋がある程度たまったら、そのつど荒茶工場に集められます。〝荒茶〟とは、製品として仕上げ加工される直前のお茶で、いわば原料となるお茶。小倉農園ではお茶農家を営むとともに、荒茶の製造業も兼ねているため、近隣のお茶農家で摘採された茶葉も、ここに集められてきます。かつては各お茶農家で荒茶まで仕上げる場合が多く、それぞれにひと味違った風味が楽しめたのだとか。

さて、続々と運ばれてくるお茶の葉は、昔ながらの大きな平かごに広げられ、蒸しの作業に入るまで乾かされます。まん中を少しへこませることで通気をよくし、蒸れを防止。ここでも茶刈り袋の工

夫と同様に、鮮度を保つ配慮がされています。

お茶の葉といえども、これだけの量が集まるとかなりの重さ。ベルトコンベヤーの力も借りて、工場の中へと運ばれます。うず高く積み上げられた茶葉の山は圧巻。それぞれのお茶農家の名前が書かれた札がのせられ、蒸される順番を待っています。

酸化が進む前に大急ぎで作業を進めます

お茶の葉は、摘みとられると同時に酸化がはじまるため、荒茶づくりへの準備が手早く進められます。ちょっとひと休み、なんてことは言ってられないほど、お茶づくりの工程は時間との勝負。農家の皆さんは、茶葉をおろし終えると、また摘採を続けるため茶畑に戻っていきます。このような作業が5月いっぱい続けられるのですから、最盛期は目もまわるほどの忙しさ。でも、山間の茶畑は霜害などの苦労も多く、無事に育った若芽を収穫する作業は、喜びに心躍る瞬間でもあります。高く積まれた茶葉を横目に、農家の人々は誇らしげな表情で汗をぬぐいます。

5ベルトコンベヤーにのせて、大量の茶葉を工場へ。
6どんどん高くなっていく茶葉の山。
7忙しい中にも、無事に育った新茶にほっとひと安心。
8小倉農園2代目の小倉重雄さんは、茶葉を手にこの年の出来を確認。
9誇らしげに積み上げられた新芽。

1生の茶葉はすぐに蒸され、荒茶へと加工。
2ベルトを使ってどんどん茶葉が運ばれて蒸熱へ。
3一か所に集合した茶葉。
4工場全体が青々とした香りと緑一色に。
5農家ごとに茶葉を計量。

6蒸気で蒸される茶葉。見た目にもやわらかくなり、葉の色もミルキーグリーンに。
7葉打ち機で徐々に水分をとばしていきます。
8熱風で揉みながら乾燥する工程も。
9揉捻機では、葉を揉みながら水分のムラをなくします。

荒茶づくり

摘み立ての葉は蒸気で蒸されいくつもの工程を経て原料茶の荒茶になります

さて、いよいよ製茶の原料となる荒茶づくりのスタートです。一番最初は茶葉を蒸気で蒸す「蒸熱(じょうねつ)の工程。ベルトにのせられた茶葉に蒸気が当てらると、葉は白を混ぜたようなグリーンに変わっていきます。工場の天井に向かって白い湯気が立ち上る中、次々と蒸されていく新鮮な茶葉。蒸すことで酸化を止めるとともに、葉をやわらかくして揉みやすくするのが、この蒸熱の作業。川根茶は昔ながらの〝浅蒸し〟で、お茶の色は冴えた黄色が印象的です。この蒸し時間を長くして作られるのが、最近人気の〝深蒸し〟タイプ。茶葉の形状が壊れやすいため、水色も濃い緑色になり、どろっとしているのが特徴です。

蒸しの工程がはじまったら工場はフル稼動

茶葉をいったん蒸しの工程にかけたら、もう途中で止めるわけにはいきません。荒茶ができるまでにはいくつもの工程があり、手早い連続作業が要求されます。蒸された茶葉に途中で風を送って水分を除きながら冷やし、まずは各農

13ていねいに揉まれた茶葉は、いよいよ仕上げの乾燥へ。
14乾燥機にかけられて十分に乾かされた茶葉が、時間をかけてゆっくりと落ちてきます。

10さまざまな工程を経た茶葉は、そろそろ仕上げの段階へ。
11大きなハケが回転しながら葉を揉み、乾燥させる精揉機。リズミカルで無駄のない動きが、手揉みを再現。
12小倉農園4代目の小倉一孝さんも、最盛期にはフル活動。

家の収穫量を計量。次に葉打ち機と呼ばれる機械にかけて水分量を減らしながら、徐々に力を加えて揉んでいきます。工場内を所せましと茶葉が移動し、それを追いかけるようにして人々も駆け足に。

　蒸し加減、水分の状態、そして揉み加減など、おいしさを引き出す最高のタイミングを瞬時にして見極めながら、作業はノンストップで流れていきます。

　後半は精揉機(せいじゅうき)にかけられ、手揉みのように茶葉のよりをのばしながら、最後は仕上げの乾燥へ。葉を揉んでから荒茶になるまでには4時間ほどかかりますが、続々と摘採を終えた茶葉が運ばれてくるので、工場はフル稼動。毎晩遅くまでこの工程が繰り返されます。

15次々と乾燥機から出てくる茶葉。これが製茶の原料となる荒茶です。火香が漂う出き立て原茶！

お茶ができるまで

其の一

製茶工場での一次加工

熟練の茶師が見極める おいしさのタイミング 姿形を徐々に変え ながら香りとうま味を ぎゅっと凝縮

小倉農園で作られた、出き立てほやほやの荒茶。

一、摘み立ての若芽

摘採されたばかりの若芽は、重なった中のほうが蒸れやすいので、平かごなどに広げて風にあて、少しの間乾かします。

二、蒸熱（じょうねつ）

生の茶葉に低圧の蒸気をあてて蒸します。お茶の香りと味わいを決める大事な工程。酵素活性を抑えるとともに、加工しやすくします。

三、粗揉（そじゅう）

葉の表面の水分を除く「**冷却**」工程の後、熱風で揉みながら乾燥させます。ところどころに葉の形が残り、かなり湿った感じです。

四、揉捻（じゅうねん）

葉に圧力を加えながら揉んでいく工程です。揉む操作をしながら、水分ムラをなくします。まだ湿り気が残った状態で、少し塊の状態に。

五、中揉（ちゅうじゅう）

熱風をあてて葉を揉みながら、さらに水分を均一に除いていきます。揉捻に比べて葉がほぐれた状態ですが、まだ少し湿っぽい感じ。

六、精揉（せいじゅう）

熱を加えて乾かしながら、ていねいなよりをかけて形を整えていきます。この後最後の「**乾燥**」にかけ、葉をしっかり乾かします。

生の茶葉から荒茶に整っていく様子は、とても興味深い工程です。葉の色や形状が変わっていくごとに、香り、うま味、甘味といったおいしさがさらに増し、独特の風味が生まれます。荒茶ができるまでの工程は、大きく分けて7つ。次の工程へ移すタイミングは、茶師たちの腕の見せどころ。長年の経験によって研ぎすまされた五感を働かせ、滋養いっぱいの香り高いお茶に仕上げます。

乾燥機から出てきたばかりの荒茶はとてもよい香り。火香(ひか)と呼ばれる独特の香気がただよい、とろっとした口あたりです。これまでは一般に市販されていませんでしたが、最近では「農家のお茶」や「山出し茶」などの名で人気を呼び、お茶農家から直接取り寄せることも可能です。原茶ならではのストレートな味わいが、ちょっとくせになるおいしさ。

荒茶（あらちゃ）

新芽が生え揃う一番茶の季節に作られる茶農家の荒茶は絶品。仕上げ茶に比べて日持ちはしないものの、それだけに新鮮な風味が味わえます。

お茶ができるまで 其の二

荒茶を仕上げ屋さんへ

作業場いっぱいに広がる新茶の香り でき立てほやほやの荒茶に 選別と乾燥の手間が加えられ 美しい仕上がりで食卓へ

手間ひまかけて作られた荒茶ですが、製茶として完成するには、さらなる工程をふまなければなりません。出来たばかりの荒茶は、すぐに"仕上げ屋さん"と呼ばれる茶商に運ばれます。ここ澤本園も、長年変わらぬ製法で川根茶を守り続けている茶商のひとつ。茶箱がうずたかく積まれた作業場には、出来たての荒茶がどんどん集まってきます。

商品にするための仕上げの加工は再製加工とも呼ばれ、「選別」、「乾燥」、「包装」の3つの工程に分かれます。荒茶の多少不揃いな茶葉の

荒茶を束ねて

荒茶工場では、湿気ないように荒茶を梱包。最後の仕上げのため、茶商へ運ばれるのを待機中の荒茶。

最後の仕上げへ

朝早く摘採された新芽は、荒茶に仕上がった順に、茶商へと運ばれます。出来たらすぐに運ぶので、荒茶工場と茶商を何度も往復。

川根の茶商

茶商の澤本園。伝統ある川根茶は、茶商と茶農家の人々の手によって、いまも昔ながらの製法が健在。静かな山間の町も、新茶の季節には嬉しい活気に溢れます。

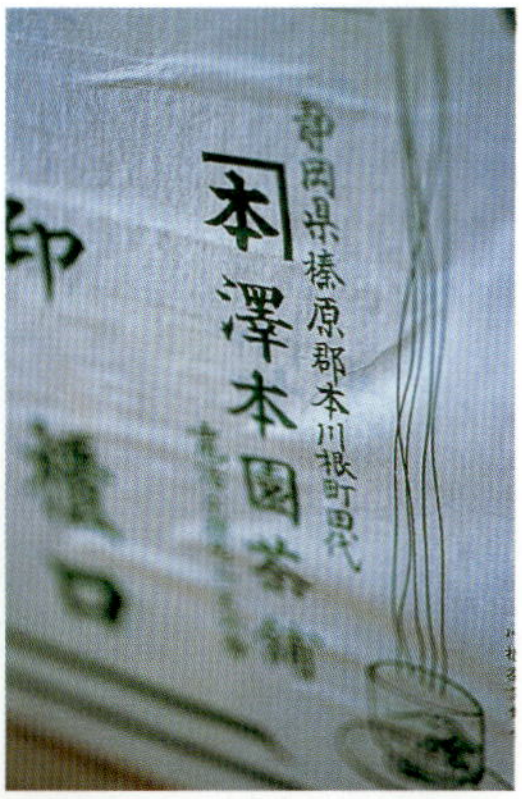

形を整え、仕上げの乾燥にかけて、独特の香りを立たせます。お茶の種類ごとに計量されて袋詰めにされると、やっと私たちにもお馴染みのお茶の完成です。

茶箱につめて

澤本園の高い天井近くまで積まれた茶箱。最近は茶箱の人気が復活し、漢字を多様したラベルつきのものは海外でもひっぱりだこ。

荒茶を精製

さまざまな形の茶葉が混じった荒茶を選り分けて、形を整えます。その後はさらに香りを立たせる仕上げの乾燥にかけて、商品となる美しい新茶に。

茶商へ

仕上げ屋さんと呼ばれる茶商、澤本園へ、続々と運ばれる荒茶の束。ここでの仕上げが終われば、銘茶、川根茶の完成です。茶摘みからお茶になるまでは時間との戦い。

リラクゼーションの玄米茶《げんまいちゃ》

熱湯を使ってこそ
引き立つのが
『玄米茶』の香気。
玄米の量を加減して
オリジナルの風味に。

香りを味わうのもお茶を楽しむ際の大きなポイントです。お茶の香りは一瞬にして、気持ちをほぐしてくれるもの。そして香りといえば、なんといっても玄米茶です。

【玄米茶】

茶葉 いろいろな茶葉と玄米を混合

玄米と組み合わせるお茶はさまざま。荒茶、煎茶、番茶、茎茶などの茶葉と、玄米が1対1の割合で混合されたものが基本。最近では抹茶を加えたものや、玄米の量を多くしたタイプもあります。急須に入れる時は、茶葉と玄米が片寄らないようバランスに配慮して。

水色 茶葉の種類によって水色もさまざま

使っている茶葉によって水色も若干異なります。一般的には濃厚な黄緑色で、濁った感じの水色に。抹茶を加えたものはさらに緑色が強調され、見栄えのよさに人気が集まっています。

右の三島茶碗　吉田 明　左の茶碗　福井哲也

こんがりと炒った玄米を番茶や煎茶に加え、さっぱりとした味に仕上げたのが玄米茶。玄米の香ばしい香りが心もからだも心地よくリラックスさせてくれるので、疲れて何もしたくない、などという時は、玄米茶でリラクゼーション！にかぎります。香りが身上なので、熱湯で一気にいれ、香りを立ちあげるのがおいしさの秘訣。より香りを楽しみたいときは、玄米の比率を高くすると香ばしさが増します。炒った玄米を売っているお店もあるので、お好みで玄米の量をあれこれ調節してオリジナルの香りを楽しむこともできます。

白磁茶碗　藤井憲之

夜に飲んでも眠りを邪魔しないヘルシーなお茶

茶葉にお湯を注ぐとフワーッと立ちのぼる芳しい香り。玄米茶の魅力である香りを引き立たせるためには、熱湯を使って一気にいれるのがポイントです。

玄米茶は、茶葉と茶葉以外の材料を混ぜ合わせたブレンド茶。もともとは、京都のお茶屋さんが、細かく砕いた鏡餅を炒ってお茶に混ぜてみたのが始まりと言われています。それが徐々に餅から米へと変わってきたのですが、現在でもかき餅を加える場合もあり、少しずつ異なった香ばしさを楽しむことができます。

玄米茶は、焙じ茶と同じように茶葉に含まれるカフェインが少なく、夜寝る前でも安心して飲めるお茶。むしろその香りのリラクゼーション効果で、心がなごみ、安眠を誘ってくれます。また玄米には疲労回復の効果が高いビタミン

玄米茶のおいしいいれ方

1 急須に茶葉を入れる

急須と茶碗にお湯を注ぎ、温めておきます。それぞれの湯をきったら分量の茶葉を急須へ。玄米と茶葉をバランスよく入れて。

2 熱い湯を急須に注ぐ

沸かし立ての熱湯を、茶葉の入った急須に一気に注ぎます。湯量は1人分120~140ccが目安。お湯がぬるいとせっかくの香りも半減するので必ず熱湯を使って。

3 茶碗に茶を注ぐ

蓋をして30秒ほど蒸らしたら、手早く茶碗に注ぎ分けます。二煎目の時は抽出時間をもう少し長めにとります。

玄米茶の温度

茶碗の数	茶量	湯の温度	抽出時間
5	15g	熱湯	30秒

B郡をはじめ、血行をよくするビタミンEも豊富。ビタミンやミネラルを多く含む緑茶とのコンビネーションは、手軽に飲める栄養食といったところです。

【玄米茶】

お茶のみばなし

炒った米を加えより芳しく

基本の玄米茶は、茶葉と米の割合が1対1ですが、玄米が多いとやはり香ばしさが増すので、最近では好みの風味にブレンドする人も増えています。同じ玄米でも、うるち米よりもち米を使ったほうが香りが高いと言われますが、まずは身近にある玄米で試してみてください。炒り立てをちょっと加えただけで、ほっとする香りが一層高まります。

食後の焙じ茶《ほうじちゃ》

カフェインやタンニンが少なく、子供たちにも安心の『焙じ茶』。胃にもやさしいお茶です。

お腹いっぱい食べた後に飲んでも、胃に負担をかけないのが焙じ茶です。たっぷりと飲むことができる上、100g300円くらいから買えるので、日常茶として特に親しまれています。

◎**製法と味わい**　番茶や下級煎茶を高温で炒って独特の香りを出した焙じ茶は、渋味や苦味がほとんどなく、香ばしくさっぱりとした味わい。肉や揚げものなどの油っぽい料理の後に飲むと、口の中がすっきりとする効果もあります。

◎**特徴**　焙じ茶はほかのお茶に比べてカフェインやタンニンが少ないので、小さな子供や胃腸の調子が優れない時にでも安心して飲むことができます。また夏場の水分補給にも最適。熱いお湯で一気にいれ、香りを立たせるのがおいしさのコツです。

水色　ビールを濃くしたような褐色

茶碗に注いだときのお茶には透明感があり、焙じたお茶ならではの"濃いビール"のような茶色の水色をしています。比較的茶葉が大きいため、粉末状の茶葉が出ることも少なく、濁りもほとんどありません。

茶葉　焙じ茶特有の褐色と焙じ香

番茶のほか、下級煎茶を用いたものもあります。焙じ加減によって茶葉の色めも多少異なりますが、焙じることで緑色から茶色に変化、独特の褐色を呈しています。焙じ色がむらなくつき、茶葉の大きさも揃っているものが良質とされています。

粉引汲出し　小関康子

【焙じ茶】

炒り直すことで
古くなった茶葉も
香り高い焙じ茶に

ストライプ赤湯呑、伊良保湯呑　榎本 泉
炭化焼〆急須、粉引小皿　尾形アツシ
木盆　三村無垢

1 急須に茶葉を入れる

急須に熱湯を注いで温め、その湯を茶碗に移して茶碗も温めておきます。急須の湯をきり、適量の茶葉を入れます。

焙じ茶のおいしいいれ方

香りを大切にしていれたい焙じ茶は、玄米茶と同じように熱湯を使って手早くいれましょう。1人か2人分よりも、5人分くらいの量でいれたほうが、おいしさと香りが引き立ちます。ちょっと大振りの急須で、茶葉と熱湯をたっぷり使って独特の焙じ香を楽しみます。二煎目は蒸らし時間を少し長めに。湯量は1人分120～140ccが目安。

2 急須に湯を注ぐ

茶葉を入れた急須に、熱湯を注いで蓋をし、30秒ほど蒸らします。少人数の場合は、茶葉を少し多めに入れて。

3 急須から茶碗に注ぐ

急須から茶碗にお茶を注ぎます。均等な濃さになるように、茶碗に少しずつ注ぎ分けましょう。熱いので、八分目くらいの量で。

深蒸し煎茶の温度

茶碗の数	茶量	湯の温度	抽出時間
5	15g	熱湯	30秒

焙じ茶は、番茶や下級煎茶を強火で炒って作るお茶。焙じることで苦味や渋味をやわらげ、もとの茶葉とはまた別の風味を生み出しています。

お茶を焙じる作業は、家庭でも日常的に行われてきた仕事。プロ並とまではいきませんが、焙烙やフライパンを利用すれば、手軽に自家製焙じ茶を楽しむことができます。ちょっと古くな

【焙じ茶】

お茶のみばなし

陶器の天日干し

焙じ茶や玄米茶など、たっぷりと飲みたいお茶には、少し大振りのぽってりとした陶器の茶碗が似合います。素焼きタイプの器は、洗った後天日に干して乾かし、水分をしっかり抜いておくのが大切。太陽が出てきたら、盆ザルに茶碗や急須を並べ、お気に入りの器も日光浴させてあげましょう。

古くなったお茶を焙烙で炒って

ちょっと鮮度が落ちたお茶を無駄なく最後まで楽しむためにも、焙烙をひとつ持っていると便利です。自家製の焙じ茶をはじめ、玄米茶に加える玄米を炒るのにも好都合です。値段も500円前後と手頃。

ってしまった煎茶、またどうも香りがいまいちという緑茶が残っていたら、弱火で炒ってみてください。あの独特の香ばしさが蘇って、香り高い焙じ茶になります。買ってきたばかりの焙じ茶の香りが物足りない時は、オーブンやオーブントースターで加熱。炒り直すことで、香りを立たせることができます。茶葉の分量やオーブンの大きさにもよりますが、100度くらいに温めたオーブンで40分から1時間加熱するのが目安。焦がさないよう、早めに炒り具合をチェックしましょう。

お酒のあとの京番茶《きょうばんちゃ》

葉の香りが個性的ですが、さっぱりとした味わい。茶葉が独特な『京番茶』は、煮出していただきます。

独特な茶葉の形がユニークな京番茶は、番茶といいながら焙じ茶に近いお茶です。摘み取った葉を蒸して、揉まずに天日乾燥し、一気に強火で炒ってつくります。揉んでいないので茶葉の形がそのまま残っていて、一見枯れ葉のよう。普通のお茶と同じように熱湯をさしただけでは成分を抽出することができないため、やかんや土瓶でぐらぐらと煮出していただきます。

茶葉の様子やその香りからは、ちょっとくせのある風味を想像してしまいますが、意外にさっぱりとして飲みやすい味わいです。独特の香ばしい香りと、深みがある味は、飽きのこないおいしさ。お酒を飲んだあとに飲めば、酔いざましの役割もしてくれます。また冷蔵庫で冷やすと、熱いお茶とはひと味ちがうさわやかなのどごしを楽しめます。

茶葉

葉を揉まないため開いた状態の葉

茶葉を蒸した後で揉まないため、葉そのものの形を残し、開いた状態の大きな葉が特徴です。強火で炒るため、茶葉の色は深い褐色。生葉の時と同じように、片面につやを残した状態の茶葉も多く、また茎や枝も含まれています。

水色

茶の水色とスモーキーな香り

好みの煮出し加減にもよりますが、炒った葉ならではの明るい茶色の水色です。京番茶独特のスモーキーな香りが立ち、ほかのお茶に比べると香気が際立ちますが、味わいはさっぱりとしています。日常茶としても、また子供たちにも飲みやすいお茶。

【京番茶】

tea bowl 白と黒　小関康子

京都に伝わる香り高いお茶は冷めてもおいしく冷茶にも向いています

お茶屋さんや、デパートのお茶売場などで取り寄せてもらうことができます。100ｇで200円前後と買いやすいお茶。

京番茶のおいしいいれ方

京番茶は京都に古くから伝わるお茶で、炒り番茶とも呼ばれています。煎茶や玉露用の芽を摘採した後の大きな葉を使って作られるお茶。大きめのやかんなどにたっぷりの湯を沸かし、茶葉を入れて煮出すことで、おいしさを引き出しましょう。

京都の宇治地方で主に生産されていますが、京都では日常的なお茶として一般に広く愛用されています。個性的な香りの印象に比べてくせのない味わいは、赤ちゃんや体調の優れない時にも向くお茶としても定番。たっぷりの湯を使って、多めに入れたほうがおいしくいれられます。

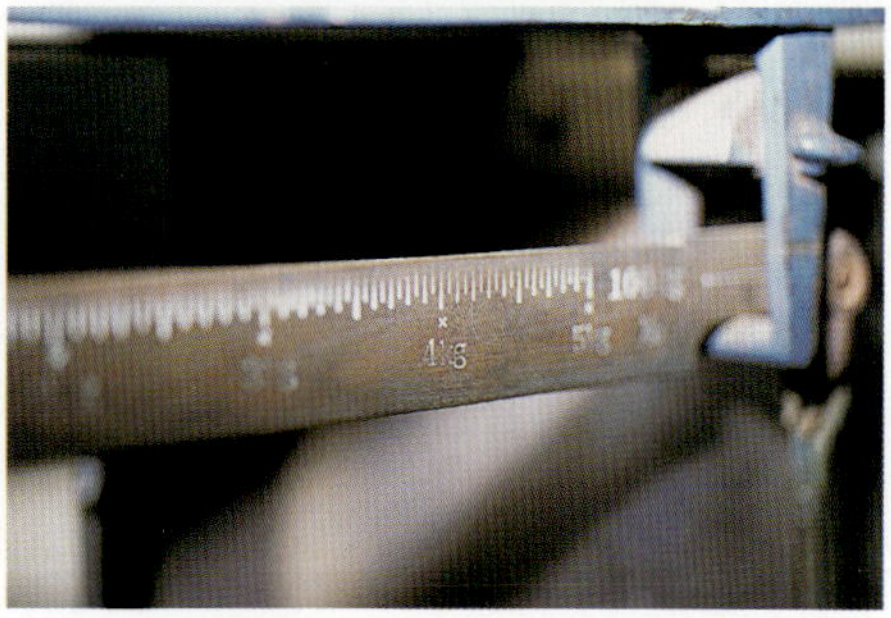

お茶のみばなし

地方の変わったお茶

富山のバタバタ茶や島根のボテボテ茶など、日本各地には変わった名のお茶がいろいろあります。ボテボテ茶は、干したお茶の花と番茶を茶袋に入れて煮出し、茶筅の先に塩をつけて泡立てたものです。また愛媛にはボテ茶という習慣もあり、同じように茶筅の先に塩をつけて泡立てますが、こちらはクコ茶と大豆を一緒に煮出したお茶を使います。

1

湯を沸かして茶葉を入れる

鉄瓶や土瓶、またはやかんや鍋に湯を沸かし、沸騰したら茶葉を加えます。湯量は１人分１２０～１４０ccを目安に。

2

ぐらぐらと煮立てて茶碗に注ぐ

ぐらぐらと、中火で２～３分ほど煮立たせ、火からおろして茶碗に注ぎます。

3

茶こしを使って

こし網のついていない鉄瓶ややかんから直接茶碗に注ぐ場合は、細かい葉が入らないよう、茶こしを利用しましょう。

お茶のみばなし

宇治茶

京番茶は京都の宇治で多く作られていますが、宇治地方は全国でも有名なお茶処ひとつ。宇治・山城一帯で作られるお茶は「宇治茶」として昔から広く知られています。高山寺の明恵上人が、栄西禅師からもらったお茶の種をまいたのが始まりという説が有力。玉露の代表的な産地でもあり、抹茶や高級煎茶も多く作られています。

京番茶の温度

茶碗の数	茶量	湯の温度	煮出時間
5	6～10g	熱湯	約3分

日本茶でリラクゼーション

ほっとするお茶の香りには消臭効果もあります

お茶屋さんの前を通りかかった時、漂ってくるお茶の香りにホッとした経験も多いはず。この青々としたお茶の香りには、気持ちを落ち着かせるリラクゼーション効果があると言われています。お茶の香気成分は、現在分かっ

お茶を使ったスキンケア商品には高い殺菌効果も！

お茶に含まれているカテキンは、強い殺菌・抗菌効果があることで知られています。その効用はさまざまな製品に利用されていますが、スキンケア製品もそのひとつ。特に茶葉を使った石鹸、シャンプー、化粧水、洗顔用クリームなどは、優しい香りと使い心地で注目されています。またカテキンには皮膚のかゆみを抑える働きもあるとされ、茶葉エキスを使った入浴剤も。

川根茶の産地、静岡県の本川根町で作られている石鹸。粉末にした緑茶が使われ、泡立ちもなめらか。

専用のキャンドルを使い、ゆっくり茶葉を加熱。

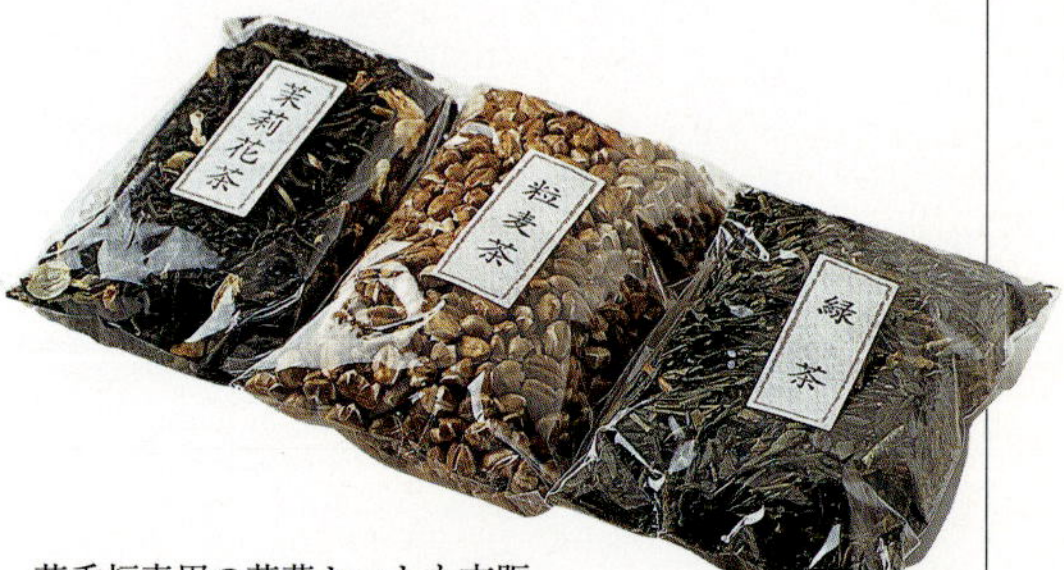

茶香炉専用の茶葉セットも市販されていますが、家庭で残った茶葉を利用しても。緑茶のほか、麦茶や焙じ茶の香りもおすすめ。

ゆっくり漂う茶葉の香り いま、茶香炉が人気です

話題の茶香炉は、卓上使いにちょうどのサイズから、かなり存在感のある大きなものまで種類もいろいろ。耐熱ガラス製の香炉も見かけますが、一般的なのは、陶製の卓上サイズです。敷き板、専用のキャンドル、本体、茶葉をのせる小皿、茶葉がセットになっている場合が多く、買ってすぐに楽しめるのも手軽。1500円から2500円くらいが平均で、和食器売場やお茶屋さん、また雑貨屋さんなどで手に入ります。

ているだけでも、600種類以上に及びます。その中でも、緑茶ならではと感じさせる香り成分の代表が「青葉アルコール」と「青葉アルデヒド」。茶葉を発酵させて作る紅茶やウーロン茶の香りとはまた違った、この青葉のような香りが精神を安定させ、心身ともにリラックスさせてくれるのです。

いらいらした時、またなかなか寝つけない夜などには、茶葉の香りを嗅ぐだけでも効果的。そして、この日本茶によるアロマテラピー（芳香療法）効果に着目し、最近話題を呼んでいるのが、茶香炉（ちゃこうろ）です。キャンドルの炎でゆっくりと茶葉を加熱し、室内に徐々に広がる香りを楽しみます。

またお茶には消臭効果もあるので、魚を焼いた匂いや、たばこやペットの匂いが気になる時の消臭にと、実用的な使い道も。穏やかな香りなので、強い香りが苦手な場合にもおすすめです。

其の二

上等なお茶だって毎日楽しみたい

手間ひまかけて育てられた玉露や抹茶。
普段飲むお茶に比べると少し値もはりますが、
それだけにそのとろりと甘い味わいは
至福の一服。高級茶だからと
大事にしまっておくよりも、
むしろその贅沢なおいしさを
気負わずに毎日楽しみたいものです。
特に抹茶は、お茶に含まれた栄養を丸ごと
吸収できるヘルシーなお茶として
見直されています。
また茶葉を料理やおやつに
利用するのも手軽な健康法のひとつ。

【玉露】

緑汲出茶碗、銀彩蓮弁皿　林みちよ

とろっと甘い玉露《ぎょくろ》

甘味とうま味をたっぷりと蓄えて育った『玉露』。低めの温度で時間をかけていれ、このおいしさを上手に引き出しましょう。

◎製造法　数ある日本茶のなかでも最高級品として知られる玉露は、育ちからして特別です。玉露の茶葉は、太陽の光りを遮る「覆下（おおいした）栽培」と呼ばれる特別の方法で育てられます。

◎味わいと特徴　直射日光を遮ることで、お茶のうま味成分とされるテアニンが増え、玉露特有の甘みをたっぷりと含んだ風味が生まれます。

口に含むと、甘味と同時にとろりとした味わいが広がるのも、この玉露ならではの特徴。

このように手間をかけて大切に育てられた玉露は、同様に手間を惜しまずにいれてこそ、その味が生きてきます。毎日たくさん飲むタイプのお茶ではないので、お茶をいれる過程の、ゆったりと落ち着いた気持ちも楽しみたいものです。

茶葉　鮮やかな緑色と細いより

鮮やかな濃い緑色をした茶葉にはつやがあり、細くよれたものほど高品質と言われています。覆下栽培で育てられた新芽だけで作られるため、細いよりがふっくらとした状態に。

水色　とろみを感じる深い水色

黄色味が冴えた深い水色。口に含むと感じるとろみが、茶碗の中でも感じられます。急須から茶碗に注いだ時に立ち上がる優雅な香りと、玉露ならではの際立つ甘味が特徴です。

【玉露】

玉露のおいしいいれ方

せっかくの玉露をおいしくいれるために、最も気をつけたいのが湯の温度です。玉露の茶葉に熱湯や高い温度の湯を注ぐとカテキンが引き出されて、せっかくの甘露も渋くなって台無し。一度沸かしてから50度くらいに冷ました湯を注いで、うま味のもとであるテアニンを上手に生かしましょう。

また、並クラスの玉露には、湯加減を調整。上級の玉露より少し高い60度の湯を使い、抽出時間を30秒ほど短くして入れます。こう言うと少し面倒に感じるかもしれませんが、ぬるめの温度が甘味とうま味を、高い温度が渋味を引き出すと覚えておくと、手軽です。

1 湯ざましに湯を入れる

湯は必ず一度沸騰させてから、湯ざましに移して温度を下げます。上級なら50度、並なら60度の湯加減で。

玉露の温度

茶碗の数	茶量	湯の温度	抽出時間
3	10g	50度	2分30秒

2 急須に茶葉を入れる

小振りの急須を使って、茶葉を入れます。茶葉を少し多めに使うのもおいしさのコツで、3人分で10gを目安に。

3 急須に湯ざましから湯を注ぐ

適温に冷めた頃を見計らい、茶葉の入った急須に湯を注ぎます。湯の量は、1人分20ccくらいと控えめに。

4 茶碗に茶を注ぐ

上級の玉露なら、抽出時間を2分30秒、並なら2分を目安にし、同じ濃さになるよう茶碗に均等に注ぎ分けます。

5 最後の一滴まで入れる

急須に湯が残らないよう、最後の一滴までしっかり絞りきりましょう。玉露がおいしく味わえる適温は約40度。

急須　藤井一休
白磁茶碗　伊藤慶二
鉄皿　増田尚紀（鋳心工房）

茶葉を使ったヘルシーメニュー

お茶の葉は栄養の宝庫
いつもの料理にプラスして
無駄なく、おいしく食べましょう

料理・スタイリング　太田晶子

近年徐々に見直されているのが、緑茶の持つ高い栄養価。緑茶にはビタミンA、C、B群、Eなどのビタミン群をはじめ、カリウム、カルシウム、鉄などのミネラル、また食物繊維などの栄養素が豊富に含まれています。

また、渋味のもととなるカテキン類は、発がんを抑える効果があるとして期待されています。このようにからだにいい効果がいっぱいの緑茶ですが、飲んでしまった後は、その成分の75%が茶がらとして捨てられてしまうことに。そこで、最近話題になっているのが、"茶葉料理"。

お茶の葉をご飯に混ぜたり、サラダにふりかけるなどして、日常的に茶葉を食べましょうという考え方です。お茶の葉を細かく砕く専用のミキサーや、安全基準の高い食べるためのお茶も販売され、家庭料理にも取り入れられつつある様子。

そこで、茶葉を使ったヘルシー料理をご紹介。加熱調理に使えばお茶の香りが一層立ち、あと味すっきりの風味に仕上がります。

茶葉でドレッシングを作ってみました。お茶の色が溶け込んで、きれいな3層の彩りに。茶葉の香りも残り、さっぱりとしたあと味です。
作り方は70ページ。

ポテトに包まれ、揚げても茶葉はしっとり

ポテトコロッケ

【材料】（二人分）

じゃが芋	2個
玉ねぎ	1/4個
鶏ひき肉	60g
サラダ油	大さじ1/2
塩、こしょう	各少々
緑茶の葉	小さじ2
バター	大さじ1/2
小麦粉、溶き卵、パン粉	各適量
揚げ油	適量
きゅうり、トマト、生食用ほうれん草、レモン	各適宜

【作り方】

1 じゃが芋は洗ってラップに包み、電子レンジで5〜6分加熱する。竹串が通ったら皮をむき、ボウルに入れてフォークでつぶす。

2 玉ねぎはみじん切りにし、サラダ油で炒める。鶏ひき肉を加え、ぽろぽろに炒まったら塩、こしょうで味を調える。

3 1に2、緑茶、バターを加えてよく混ぜ、俵形にまとめる。

4 小麦粉、溶き卵、パン粉の順に衣をつけ、170度の油で揚げる。

5 器に食べやすい大きさに切ったきゅうり、トマト、ほうれん草と盛り合わせ、くし形に切ったレモンを添える。

【材料】（二人分）

米	1と1/2カップ
水	1と1/2カップ
顆粒コンソメ	小さじ2
ハム	3枚
チーズ	40g
緑茶の葉	小さじ2
塩、こしょう	各少々
イタリアンパセリ	適宜

【作り方】

1 米はといで分量の水を入れ、30分おいてからコンソメを加えて混ぜ、普通に炊く。
2 ハム、チーズは7〜8㎜の角切りにする。
3 1が炊きあがったら2と緑茶を加えて混ぜ、塩、こしょうで味を調える。
4 器に盛り、イタリアンパセリを添える。

洋風混ぜごはん

熱々ご飯に混ぜたとたん
茶葉の香りが
フワーッと広がります

イタリアンに利用すれば
ハーブ的効果を発揮

緑茶ときのこのパスタ

【材料】（二人分）

	スパゲッティ	160g
	しめじ	1/2パック
	舞茸	1/2パック
	エリンギ	1本
	しょうが	1片
	赤唐辛子	1本
	オリーブオイル	大さじ2
	白ワイン	大さじ1/2
A	緑茶の葉	小さじ2
A	しょうゆ	小さじ2
A	塩、こしょう	各少々

【作り方】

1 きのこ類はそれぞれひと口大に切る。しょうがはせん切り、赤唐辛子は種を取って小口切りにする。
2 鍋にたっぷりの湯を沸かして塩を加え、スパゲッティをゆで始める。
3 フライパンにオリーブオイル、しょうが、赤唐辛子を入れて弱火にかけ、香りが出てきたらきのこを加える。全体に油がなじんだら白ワインを加え、Aで調味する。
4 ゆで立てのスパゲッティを加え、汁を吸わせるように炒め合わせて器に盛る。

緑茶の香りと風味で揚げものもすっきりとした味わいに

【茶葉を使ったヘルシーメニュー】

サクサクフリッターの緑茶風味

【材料】（二人分）

- 帆立て（刺身用）……4個
- 海老（ブラックタイガーなど）……4尾
- 塩……少々
- マッシュルーム……6個
- A
  - 緑茶の葉……小さじ2
  - 小麦粉……1/2カップ
  - ベーキングパウダー……小さじ1/3
  - コーンスターチ……大さじ1/2
- 卵……1/2個
- 水……50cc
- 揚げ油……適量
- レモン（またはライム）、塩……各適量
- トレビス……適宜

【作り方】

1 帆立ては縦半分に切る。海老は殻をむいて背割りしてわたを取り、塩をふって水気をきっておく。

2 マッシュルームは根元を切り、半分に切る。

3 ボウルにAを合わせ、泡立て器でよく混ぜる。

4 卵を溶いた中に水を加え、これを3に加えてよく混ぜる。

5 油を170度に熱し、1と2を4の衣にくぐらせて油に入れ、揚げる。

6 器にトレビスを敷いて5のフリッターを盛り合わせ、輪切りのレモンを添える。レモン汁や塩をつけていただく。

豆腐サラダ 緑茶ドレッシング

和素材を使ったサラダにも合う 香り高いドレッシング

【材料】（二人分）

	絹ごし豆腐	1/2丁
	ゆで筍	小1本
	絹さや	20枚
	生ハム	6枚
A	緑茶の葉	小さじ1/2
A	サラダ油	大さじ2
A	レモン汁	大さじ1
A	砂糖	小さじ1/4
A	しょうゆ	大さじ1/2
A	塩、こしょう	各少々

【作り方】

1 豆腐はキッチンペーパーに包んで冷蔵庫に入れ、水気をきる。絹さやはヘタと筋を取る。

2 ゆで筍は半分に切ってから薄切りにし、サッと塩ゆでする。続けて絹さやをゆで、水にとる。

3 1の豆腐を8〜10等分し、2、生ハムと一緒に盛り合わせる。

4 Aの材料をよく混ぜ合わせてドレッシングを作り、3にかけていただく。

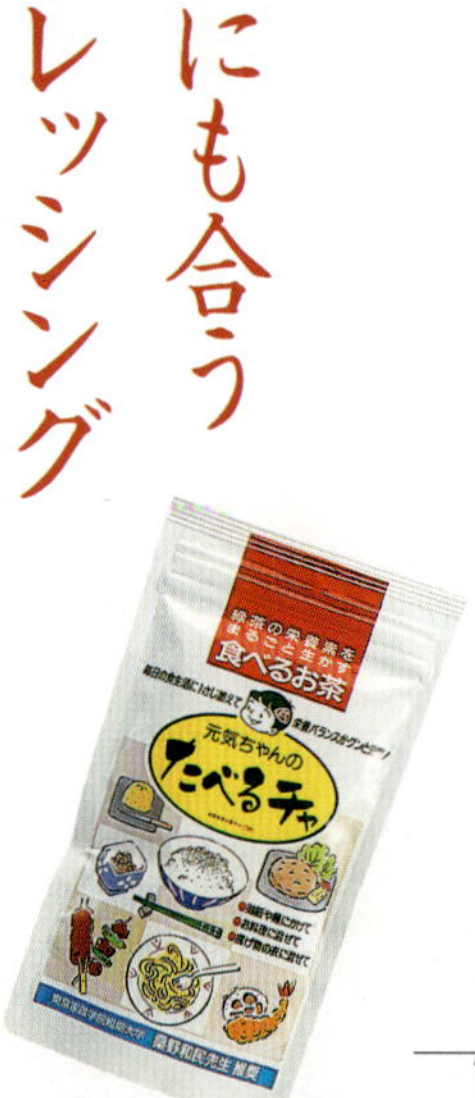

食べるためのお茶として、専用の農園で栽培・生産された「食べるチャ」。1回の食事で2g（茶さじ1杯）が目安。販売元／愛国製茶（株）

緑茶キッシュ

【材料】（約20㎝角の耐熱容器1個分）

冷凍パイシート		1枚（約20㎝角）
長ねぎ		1/2本
グリーンアスパラガス		2本
ベーコン		1枚
卵		2個
A	緑茶の葉	小さじ2
	生クリーム	1/2カップ
	粉チーズ	大さじ1
	（またはピザ用チーズ	30g）
バター		大さじ1
塩、こしょう		各少々
サラダ油		少々

【作り方】

1 耐熱容器に油を薄く塗る。10分ほど室温に置いたパイシートを手で伸ばしながら器に敷き、所々をフォークで突いておく。
2 200度に熱したオーブンに1を入れ、20分ほど焼く。
3 長ねぎは4㎝長さに切ってから縦四つ割りに、アスパラガスは斜め切り、ベーコンは1㎝幅にそれぞれ切る。
4 フライパンにバターを溶かし、3を軽く炒めて塩、こしょうする。
5 ボウルに卵を割りほぐし、Aを合わせて塩、こしょうする。4を加えて混ぜ、2に流し入れる。
6 180度に熱したオーブンで、30分ほど焼く。

バターや生クリームのこくとも相性がよく、彩り効果も

ビタミンCや
食物繊維も
たっぷり摂れる
美肌にも効く
健康茶です

黄釉薬深小鉢(上) 淡茶深小鉢(下) 山田 晶

甘味とうま味をたくわえた茶葉の風味をそのままに

栄養充実の抹茶《まっちゃ》

抹茶というと、どうしても堅苦しい印象を持ってしまいがちですが、抹茶のたて方自体は意外に簡単。茶葉ごと飲むことができるヘルシーなお茶として、もっと日常的に楽しみたいものです。

◎**製造方法と特徴**　抹茶は、玉露と同じように手間ひまかけて育てられた碾茶（てんちゃ）を原料として作られます。樹に覆いをして日光を遮るため、茶葉は甘味とうま味をたっぷりと蓄えることに。その若芽を摘んで蒸し、揉まずに乾燥させた後、石臼でひいて粉末にします。日本茶ならではの美しい翡翠（ひすい）色が冴える抹茶は、このきめ細やかな製造法ならではの贅沢な味わい。ビタミンC、E、食物繊維など、茶葉の栄養を無駄なく吸収できる美容茶としても注目されています。

水色　若芽を映したような さわやかな翡翠色

微粉末の状態にした茶葉が湯に溶け込み、若草のような美しい翡翠色をしています。茶筅で泡立てて湯と抹茶を混ぜるため、たてた直後には表面に細かい泡が立っています。全体がよく混ざっているほど、濁った水色に。

茶葉　変色がなく、全体に 鮮やかなうぐいす色

黄ばみなどの変色がなく、色鮮やかなうぐいす色をしたものが上質とされています。抹茶は並から最高級のものまで値段もさまざま。40gで500円前後から3000円前後と幅広く、上級抹茶は1200円くらいを目安に。小さな缶や箱に入った状態で市販されています。

抹茶のおいしいたて方

茶道、流儀という言葉を連想してしまうと、ちょっと気後れしてしまう抹茶ですが、必要な道具は茶筅だけと思えば気もラク。まずは家庭で気軽に楽しめる抹茶のたて方をマスターしましょう。抹茶の楽しみ方には薄茶と濃茶のふた通りありますが、その違いは茶量による濃さの違い。一般的には〝おうす〟と呼ばれる薄茶のほうが馴染みやすいので、ここでは薄茶のたて方をご紹介します。ちなみに薄茶をいれることをたてる（点てる）と言い、抹茶の量を多く使う濃茶（〝おこいちゃ〟と呼ばれています）をいれる場合は練ると表現するのが一般的。

薄茶は、茶筅を使って一気に混ぜるのがポイント。まずは専用の抹茶茶碗かそれに類する器に約2gの抹茶を入れ、沸騰させてから80度に冷ました湯を注ぎます。そして湯と抹茶がよく混ざり合うよう、茶筅を使って空気を含ませるように勢いよく混ぜ合わせます。表面にきめ細かな泡が立ったら、まん中から茶筅をそっと抜いて、いただきます。

1 ダマをなくすために

抹茶を茶こしでふるってから使うと、ダマになりにくくきれいにたてることができます。専用の抹茶ぶるいを使っても。

2 抹茶をこす

あらかじめ抹茶をふるっておくか、または茶碗に抹茶を入れる際に、茶こしを通して入れるようにします。

3 茶碗を温める

茶碗に湯を注いで、茶碗を温めておきます。その中で茶筅をまわし、茶筅も温めます。温めた後の湯を捨てます。

4 茶杓で抹茶を入れる

茶碗の内側を拭いたら、茶杓に山盛り1杯半、約2gの抹茶をとって茶碗に入れます（濃茶なら4gの抹茶を使用）。

5 湯を注ぐ

一度沸かしてから80度に冷ました湯を、60ccを目安に注ぎ入れます。沸騰した湯を別の器に移し替えると適温に。

6

7

茶筅をはずす

全体がダマなくきれいに混ざり、きめ細かな泡が立ったらそっとまん中から茶筅を引き上げます。

茶筅でたてる

片方の手で茶碗を支えながら、茶筅を動かします。湯と抹茶がよく混ざるように"m"の字を描くような感じで。

8

いただく

茶碗を左の手のひらにのせ、右手を茶碗に添えるようにして持ち、いただきます。

薄茶の温度

茶碗の数	茶量	湯の温度	抽出時間
1	2g	80度	

家庭で抹茶を楽しむ場合、どうしても必要なのが茶筅《ちゃせん》。またあると便利なのが茶杓《ちゃしゃく》。そしてだんだんとほしくなるのが、抹茶茶碗です。「一楽、二萩、三唐津」という言葉があるように、古くから茶人に愛されてきた伝統的な焼きものから選ぶのも楽しいですが、抹茶が似合いそうな器を探すのも手。たとえば小振りな鉢は、形や色もいろいろで、抹茶茶碗に比べてリーズナブル。茶筅を動かしやすい形という点さえ考慮すれば、選択肢も広がります。抹茶茶碗の価格はそれこそいろいろですが、手に入れやすいのは5000円クラス。

内銀彩黒茶碗　林みちよ

抹茶のいただき方

略式ながらも、背筋がしゃんとするような心地よい緊張感を味わえるのも、抹茶の魅力。お茶室でいただく訳ではありませんが、基本的な作法を覚えておくと、抹茶の楽しみ方がより広がります。

①まず、左の手のひらに茶碗をのせ、右手を茶碗の側面に添えて持ちます。

②お客さまに出す時は、時計まわりに2回まわして、茶碗の正面がお客さまに向くように右手で差し出します。

③いただく場合は、時計まわりに2回まわして茶碗の正面を避け、三口半で飲みきるようにいただきましょう。

粉引tea bowl　小関康子

【抹茶】

手持ちの器を組み合わせ、個性的なアレンジを

カジュアルに抹茶を楽しむなら、茶碗のセッティングも個性的にアレンジ。長角皿をお盆がわりに使い、茶碗といっしょにお菓子を盛り合わせます。おもてなしにはもちろん、家族や自分1人のためでも、いつもと印象が変わって新鮮。

蓮茶碗　林みちよ　長皿　朝倉晶

日本茶に欠かせないもうひとつのお楽しみ

江戸・元禄期　砂糖の製造と共に甘い菓子が続々と登場

飲みものと食べものには、互いのおいしさを引き立て合う好相性があります。そして、日本茶に合うものと言えばやっぱり和菓子。まんじゅうと抹茶、羊羹に煎茶といった組み合わせは、日本人が昔から知っていた、それぞれのおいしさを増幅させる技とも言えるでしょう。

お菓子と聞くと甘いものを想像しますが、現代のように甘いお菓子が普及したのは、江戸後期のこと。もともとは、木の実や果物を指す「果子」という字が用いられていました。栗やヤマモモなどの果子から、少しずつ〝菓子〟らしくなっていくのは奈良・平安時代に入ってから。お茶が中国から遣唐使によってもたらされた説があるように、お菓子も彼らによって仏教文化と共に伝わりました。米粉や小麦粉を原料とした中国伝来の菓子は「唐菓子」と呼ばれ文献にも登場しますが、庶民にはまだまだ高嶺の花。その後、喫茶の風習が伝わる鎌倉時代になると点心が、また南蛮交易を通して南蛮菓子がもたらされ、異文化の影響を強く受けながら日本の菓子は発展していきます。そして甘いお菓子づくりのきっかけともなったのが、砂糖の普及。江戸時代に入っても貴重品だった砂糖ですが、輸入糖に加え、栽培に苦労していた国産糖も出回るようになり、甘くて華やかな菓子文化が華開くことに。庶民にとっても、生活になくてはならないお茶請けとなりました。

お茶のみばなし

参勤交代で全国に特産菓子が急増

各地方に伝わる個性的なお菓子の数々。この銘菓の誕生にひと役かったのが、参勤交代です。各地の大名たちは、将軍への献上品として藩ご自慢のお菓子を持参。将軍の口に合ったものは、銘菓としてのお墨付きをもらうこととなり、これが特産品の開発に一層拍車をかけることとなりました。江戸では庶民的なお菓子が生まれ、グルメブームの到来に。

原本所蔵／浦上　満、岩崎美術社刊『北斎漫画　二』より

干菓子

繊細な細工と美しい彩りが緑茶に映えます

四季折々の情景を映しとったような雅びな干菓子は、お茶席にも欠かせない代表的な京菓子。水分が少ないために日持ちのする干菓子には、もち米を原料として木型で形作る「打ち物・うちもの」や「押し物・おしもの」、水飴や砂糖を使った生地を細工した「有平糖・あるへいとう」、季節の紋様を焼き印で刻む「煎餅・せんべい」などがあります。

鎌倉『豊島屋』の“鎌倉の彩”。秋の恵みを盛り込んだ籠もお菓子で、すりおろした山芋に和三盆糖や寒梅粉などを加えて作られています。

まんじゅう

江戸初期には、現在のような製法が完成

喫茶の風習と一緒に中国から伝わった点心には、野菜を具にした「菜饅頭・なまんじゅう」や、砂糖を入れた「砂糖饅頭・さとうまんじゅう」がありました。現在のような小豆あんに近いものが入ったまんじゅうが登場するのは、室町後期から江戸初期にかけての頃だとか。砂糖が広く普及する以前には、塩まんじゅうなるものも存在。

愛媛県松山市『山田屋』の“山田屋まんじゅう”。甘いものをちょっとひと口という時にぴったりの小振りなサイズ。

あんぱん

明治の銀座名物は和洋折衷のハイカラパン

“あんを包む”というまんじゅうの形態をパンに応用したのが、日本ならではのこのパン。木村屋総本店主人の木村安兵衛と栄三郎親子によって考案されました。イーストの代わりに、お酒を作る途中のもろみ段階の酵母を使っているため、パン生地もどことなく和風の味わい。赤レンガの街銀座の名物となったあんぱんは天皇に献上されることとなり、その際、日本のシンボル、桜の塩漬けがのせられるようになりました。

東京銀座『木村屋』の元祖“あんパン”。

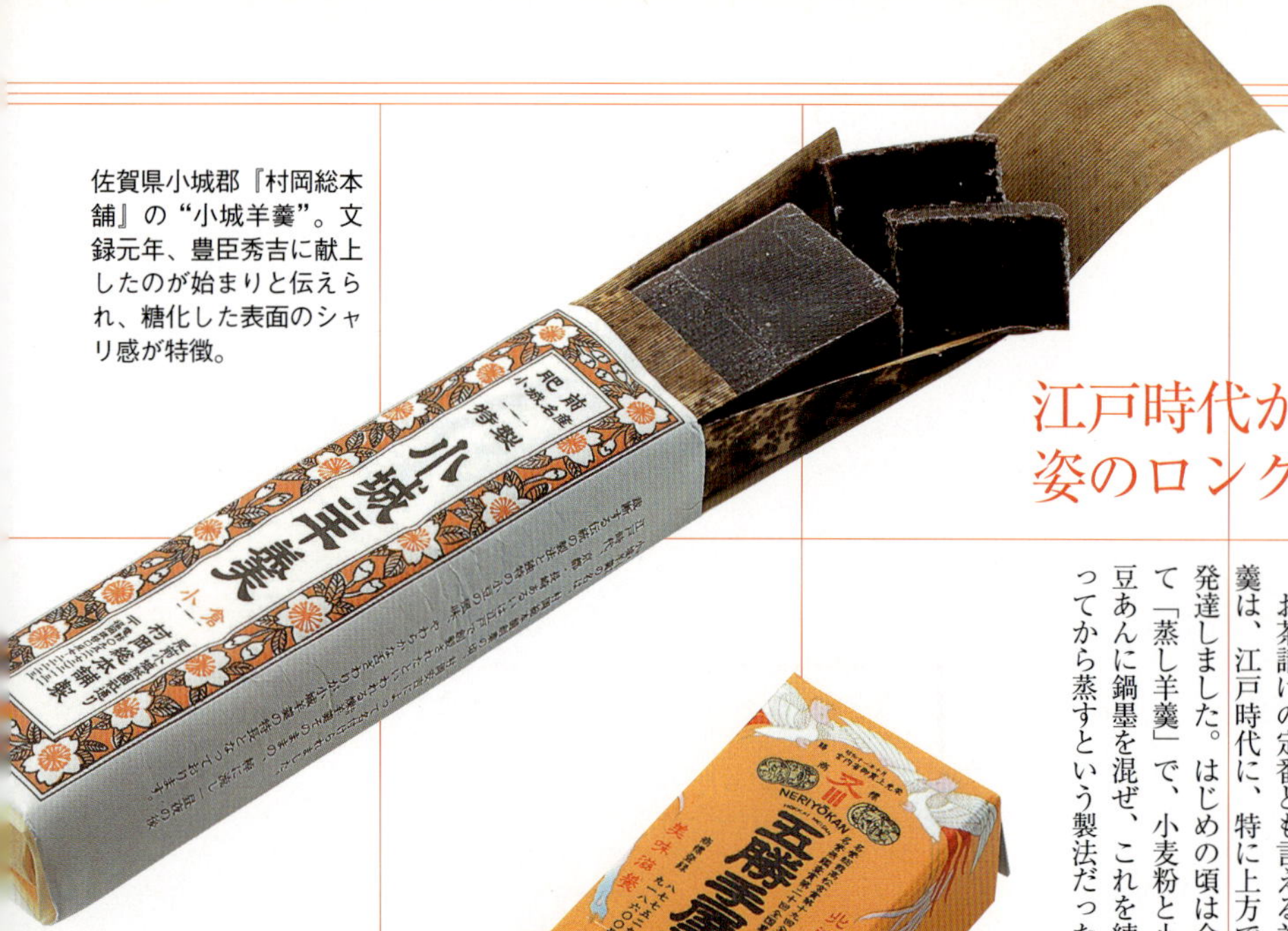

佐賀県小城郡『村岡総本舗』の“小城羊羹”。文禄元年、豊臣秀吉に献上したのが始まりと伝えられ、糖化した表面のシャリ感が特徴。

江戸時代から変わらぬ姿のロングセラー

羊羹（ようかん）

羊羹や外郎（ういろう）のように、形が棹（さお）のように細長い形状をしたものは「棹物・さおもの」と呼ばれています。

お茶請けの定番とも言える羊羹は、江戸時代に、特に上方で発達しました。はじめの頃は全て「蒸し羊羹」で、小麦粉と小豆あんに鍋墨を混ぜ、これを練ってから蒸すという製法だったようです。その後、寒天の普及とともに「練り羊羹」が主流に。こしあん、白砂糖、寒天を主原料として作られる練り羊羹は、形もいまとほとんど変わらなかったようで、江戸末期には「六寸×一寸×一寸」の規格があり、今日のサイズの基準ともなっています。夏には涼感溢れる水羊羹と玉露を合わせるなど、季節ごとの組み合わせを楽しんで。

北海道江差町『五勝手屋本舗』の“五勝手屋羊羹”。ひと口サイズのものは旅行にも便利。円筒形のタイプは、底から押し出して食べます。

梅の香りと酸味が、熱い番茶にぴったり

特産菓子

江戸時代、将軍への献上品として銘菓の評判を得ようと、全国各地では特産品を使った菓子作りが盛り上がります。

この山形銘菓も、地の特産物、梅を使った伝統あるお菓子。昔から山形県では紅花が栽培され、その“紅”をとるのに必要だった梅の栽培も盛んでした。この乃し梅は、山形城主の典医だった小林玄端が、中国人から伝授された気付け薬を起原として誕生。さわやかな風味が特徴です

山形県山形市『佐藤松兵衛商店』の“乃し梅”。

団子

茶店の定番メニューは、お茶に団子

嗜好品としてのお菓子が、庶民の楽しみとして広がった頃は、現代にも負けないグルメブームだったとか。中でも団子は人気のメニューで、町中の茶店ではお茶に団子が定番でした。四当銭貨幣の登場で、1個一銭の団子は1串4個のスタイルに。

東京都荒川区『羽二重団子』の"羽二重団子"。絹布の羽二重のような食感からこの名がつけられました。こしあんを使ったあん団子と、生醤油で二度つけ焼きした醤油団子の2種類。

白あんの菓子

さまざまなアレンジが楽しめる白あん

和菓子に欠かせないあん（餡）には、こしあんや粒あんに加え、白あんがあります。白あんは白いんげん豆や白小豆などを原料に作られ、さまざまな工夫あんにも利用されています。たとえば抹茶を混ぜると「ひき茶あん」に。また卵黄を加えたものは「黄身あん」、白味噌なら「味噌あん」としてお馴染み。近年ではチョコあんもお目見え！

東京中央区『寿堂』の"黄金芋"。白あんに卵や桂皮末、ウコンなどを加え、焼き芋の姿を模した焼き菓子。

大福

冬の江戸の風物詩は火鉢で焼く大福売り

江戸の町をねり歩く「振り売り」の中には、なんともおいしそうな"大福売り"の姿もありました。籠に仕込んだ火鉢で大福もちを焼きながら売り歩いたというのですから、寒い季節には大人気。大福は、もち粉または糯米で作った皮であんを包みますが、その特徴はなんといっても大振りなところ。元禄の頃には"はらぶともち"と呼ばれていたそうです。当時は塩あんが使われていましたが、後に砂糖あんが用いられるようになってからは、これでも小型化に。

日本茶を使ったスイーツ

抹茶や茶葉はさまざまなお菓子に広く利用されています。

日本茶は、古くから料理やお菓子にも利用されてきました。茶飯、茶粥、茶そばなどのお茶料理はよく知られていますが、同様にお茶を使ったお菓子も数多くあります。

抹茶のカステラもポピュラーに。

たとえば茶飴は昔からあるもののひとつで、薬用としても珍重されました。砂糖を溶かした湯に水飴と溶いた抹茶を加えて煮詰めた後冷やしかためますが、最近ではお茶から抽出したカテキンを使った健康飴も登場。また抹茶羊羹や抹茶団子、近年では抹茶カステラやチョコレートもお馴染みに。

さらに抹茶は、和菓子に美しい彩りを添える天然の着色料としての役目も担ってきました。白あんに求肥などのつなぎを加えて練った"練り切り"（生菓子）や、"打ち物"（干菓子）を一層華やかに演出したのも、抹茶の緑。

このように、お菓子への利用はこれまで抹茶が一般的でしたが、最近では茶葉そのものを使ったお菓子も増えてきました。クッキーやサブレなど、茶葉の栄養を丸ごと取り入れる工夫がされています。

茶産地では、地元の茶葉を使った焼き菓子も。茨城県笠間市「グリュイエール」の"緑茶サブレ"は、茶畑が並ぶ七会村の緑茶を利用した特産品。

焼き上がりもうっすら緑色の緑茶サブレ。

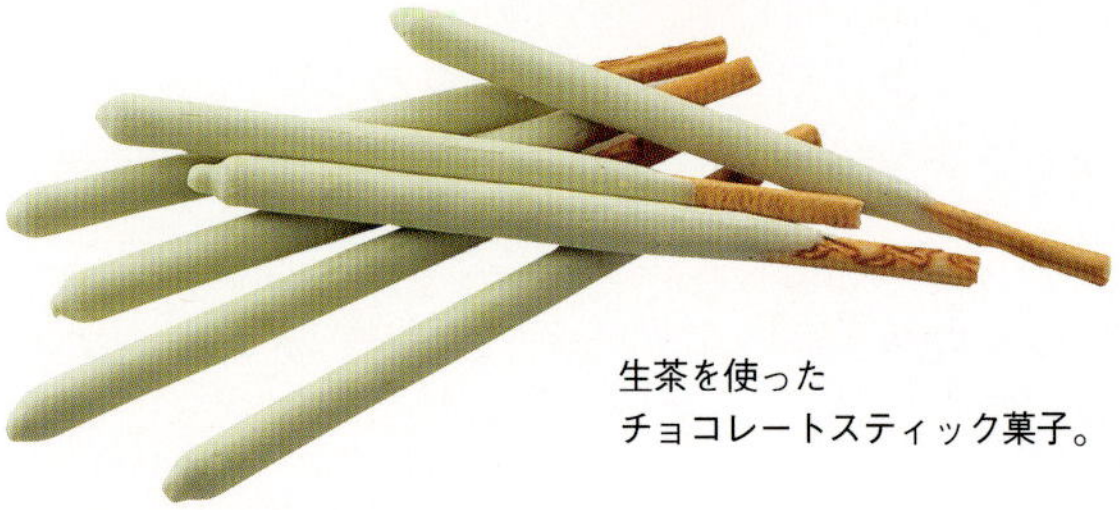

生茶を使ったチョコレートスティック菓子。

抹茶を使えば手作りデザートも簡単

ゼリーやババロアなど、手作りデザートも抹茶を使えば手軽にアレンジできます。またアイスクリームに抹茶をふっても風味づけに。

●抹茶ゼリーの作り方（約3人分）

①粉ゼラチン5gを50ccの熱湯に振り入れてよく溶かす。

②ミキサーに抹茶6gと湯（80度）200ccを合わせてよく混ぜ、ボウルに移し、砂糖大さじ2を加えてさらによく混ぜる。①を加えて混ぜ合わせる。

③型に❷のゼリー液を茶こしを使って流し入れ、冷蔵庫で1時間ほど冷やしかためる。

折り紙小鉢　鈴木玄太

急須

もっと知りたい急須まわりのエトセトラ

お茶のおいしさと微妙に関わってくるのが、急須の大きさや作り。何人分いれる機会が多いかにもよりますが、できれば大小二つの急須を揃えておくと便利。煎茶から焙じ茶まで、さまざまなお茶に対応できます。

高級茶用には小振りの急須を

玉露や上級煎茶用には、一般的に小さめの急須が使われます。これは少なめの湯の量でいれるお茶のため。玉露なら１００cc入れくらいの急須、また上級の煎茶なら２５０～３００cc入れ程度の大きさの急須が適しています。並煎茶用は６００cc入れくらいが目安なので、まずひとつ買うならこのサイズの急須で兼用しても。

日常茶に向く土瓶タイプの急須

普通のサイズの急須に加え、もうひとまわり大きな急須があると、なお便利です。たとえば玄米茶、焙じ茶、番茶などは、たっぷりの湯量を使ったほうがおいしくいれられます。

そのため、急須も十分な湯量が入る大きめのタイプをひとつ持っていると重宝です。

また熱湯を使っていれるので、これらのお茶には、厚手の土っぽい急須や、蔓（つる）の取っ手つき土瓶などが向いています。容量は８００ccくらいを目安に。

茶こしの形や材質も要チェック

お茶の種類によっては、使い勝手が気になるのが茶こしの部分です。

昔からお馴染みなのが、注ぎ口の部分に穴が開けられたものや、半球状の陶器製の茶こしが取りつけられたもの。このような形状の茶こしは、急須と同じ材質なので金気がないのが利点です。ただ深蒸し煎茶や粉茶などには、目の細かい金属製の茶こし網がついたタイプが実用的。洗うのも楽なため若者にはこちらが人気。

味にも影響するのが急須の手入れ

洗うのがちょっと面倒な急須。軽くすすぐだけでは茶渋も残り、汚れがひどい場合には、お茶の味にも影響してきます。特に汚れがたまりやすいのが、茶こし網と注ぎ口のカーブの部分。網に落としきれない茶葉が目立ってきたら、取り替えたほうが賢明です。交換用の網はサイズもいろいろ。また洗いにくい注ぎ口周辺は子供用歯ブラシを利用して時々掃除しましょう。最近では専用のブラシも市販されています。

消臭効果もある茶がらの利用法

ビタミンやミネラルなどの栄養が多量に残っている茶がら。再利用法として昔からあるのが、お茶の佃煮です。1日分の茶がらを集めて、酒、しょうゆ、砂糖、赤唐辛子など好みの味つけで煮詰めれば、食物繊維もたっぷりの副菜になります。

そして最近では、茶がらにも十分残っている消臭効果や殺菌効果をいかした利用法もいろいろ。たとえば魚焼き用のグリルの匂い消し。受け皿に茶がらを敷いて空焼きすれば、生臭い匂いも気にならなくなります。

また茶がらを天日干しで乾燥させ、ガーゼやさらしで作った袋に詰めれば、脱臭剤に。冷蔵庫や下駄箱、洋服箪笥などに入れておくと、消臭効果に加えて吸湿効果も期待できます。

そして掃除に活用するのも古くからの智恵。かたく水気を絞った茶がらを畳や床にまいてから掃くと、細かいごみもとれてツヤ出し効果も！

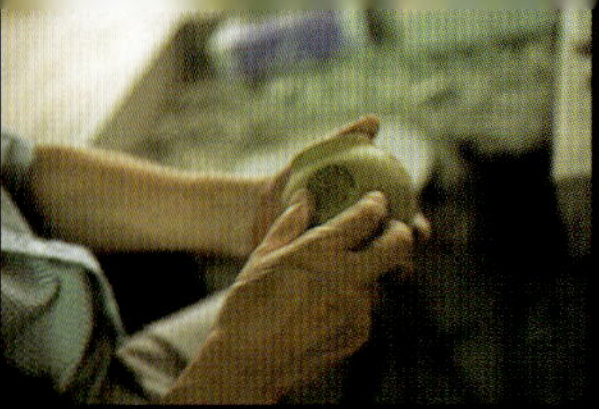

注ぎ勝手のよさは焼きあがるまでわからないものです

急須は、本体に注ぎ口と持ち手の部分が後づけされて作られます。「茶こし部分の穴は、小さすぎると詰まりやすく、大きすぎても茶葉が出やすいので、加減が難しい作業です」と語る黒田さんは、茶こしの穴あけに、歯医者さんの器具を改良した自作の道具を愛用。陶房には鏡が置かれ、注ぎ口と持ち手のバランスを確認しながら細かい手作業が続きます。

急須の作り手

黒田 隆

いまではすっかりお馴染みの急須ですが、いったいいつ頃から使われるようになったのでしょうか。

急須の原形と言われているものには、水指しや酒注があります。中国の明から日本に伝わったのは18世紀後半の頃。宝暦年間（1751〜1764年）、煎茶道を広めた売茶翁（ばいさおう／煎茶道の祖で江戸中期の仏教僧）らの求める声に応じ、京焼きの陶工らによって作れたのが始まりと考えられています。

お茶を注ぐという機能が生んだ急須の形

焼きものの里として有名な茨城県笠間に、急須の陶房を構える黒田さんを訪ねました。黒田さんは数少ない急須作家のひとり。手間ばかりかかって、そう儲かるものではないということもあってか、急須を専門に作っている作家さんは少ないのだそうです。

そう言われて急須をよく眺めてみると、実に複雑な形をしていることに気づきます。注ぎ口の微妙なカーブ、持ち手と注ぎ口の位置のバランス、蓋の摺り合わせなど、茶葉をこしながら注ぐという機能性を追求した末に生まれた、美しいフォルムです。

黒田さんが、この究極の機能美ともいえる急須を作り始めたのは39歳の時。笠間に移り住んで焼きものを始めた友人を追ってきたのがきっかけでした。そして、とある職人さんのところを訪ね、ろくろを学ぶことに。

「1週間に1〜2回、約1年ほど通いましたね。毎回、湯呑みを作れと言われてね」この時黒田さんを指導したのは、急須名人と呼ばれたほどの人。友人から窯をゆずってもらったのを機会に、黒田さんは急須を焼き始めます。

「その頃急須を作る人はほとんどいなかったですね。自分のため

焼きもので有名な笠間の芸術村にある黒田さんの陶房。自宅から陶房への通い道では、顔馴染みの犬が必ずお出迎え。

PROFILE

黒田　隆・くろだ　たかし
陶芸家。昭和8年、東京生まれ。昭和33年国学院大学卒業後、テレビアニメの原作家の仕事を経て、昭和47年茨城県笠間市芸術村へ移住。国展入選、日本陶芸展入選など、数少ない急須の作り手として現在に至る。
●黒田さんの急須のお問い合わせ先
「砂田」、千葉県市原市五井中央西2-15-14、TEL 0436-21-5818
「黒田陶苑」、東京都中央区銀座通7-8-6、TEL 03-3571-3223
「笠間工芸の丘」、茨城県笠間市笠間2388-1、TEL 0296-70-1313

焼き上がった急須が並ぶ窯場。まだ粉っぽさが残る急須ですが、一度洗って拭くと、独特の渋いつやが出てきます。黒田さん会心の作は、笠間に住む炭焼き名人のおじいさんが作った松炭を使って焼いたもの。

と思って作ってみたら、これが意外と面白かったんですよ」
ところが第一作目は使いずらかったりして、評判があまりよくなかったとか。

炎の勢いを刻んだ焼き締めの急須

「それでね、ちょっと悔しくなって、真剣に急須づくりを始めたんです」でもいざやり出してみると、自由だと思っていた急須の世界は意外と窮屈。「急須は、どんな形にしてもすでに先人の手によって作られている。師匠にも“手が上に、口が下につくものだ”とよく言われたんですが、同じ急須を作ったんじゃ申し訳ないと思いまして…」

こうして20年の試行錯誤の結果、当時笠間焼きの日常雑器にはほとんどみられなかった、焼き締めの急須が誕生。1250度の高温で焼かれる黒田さんの急須には、炎の跡のような独特の模様が浮かびあがります。材料となる朱泥や白泥、また燃料となる炭によって、焼き上がりに大きく差が出てしまうため、最近では原料の確保も大変。

「急須作りの苦労の後には、自作の急須に似合う茶呑みを探す楽しみが待っています」

のどの渇きをいやす 冷煎茶《れいせんちゃ》

鮮やかな水色が涼しさを演出する『冷煎茶』ティーバッグを使えば手軽にクールダウン

暑い季節はもちろん、お風呂上がりやスポーツの後など、のどが渇いたときに飲む冷茶は格別のおいしさ。なかでも冷煎茶は、そのすっきりとしたのどごしに人気が集まっています。冷煎茶は水出しがポイント。茶葉からいれる場合は、熱いお湯でいれて長時間置くと水色がにごってしまうため、水で抽出するようにしましょう。この場合、水道から直接よりも汲み置いた水を使うと風味がよりまろやかに。茶葉はお湯で入れるときより多めに入れ、お茶の色がきれいに出るまでしばらく待ちましょう。水出しなら時間が経っても美しい緑色を楽しめます。ティーバッグタイプを利用すればより手軽。

水色

鮮やかな黄緑色の澄んだ水色

涼感を呼ぶ、鮮やかな黄緑色の水色が特徴です。湯ではなく水で抽出するため濁りが少なく、より澄んだ水色になります。冷煎茶用の茶葉を急須を使っていれる場合は、茶こしを使って細かい葉を除くようにいれると、より涼やか。

茶葉

水出し煎茶のティーバッグが便利

その手軽さから売れ筋なのがティーバッグタイプの冷煎茶。細かいメッシュの袋に入っているので、茶葉がこぼれにくく手間いらず。5g入りの袋が10個で500円くらいからと価格も手頃です。冷煎茶用の茶葉には「水出し用」、「水出し煎茶」などの表記が一般的。

デリックコップ　鈴木玄太　豆鉢　三谷龍二

冷煎茶のおいしい入れ方

冷煎茶は水でいれるため、短時間でも抽出できる"深蒸しタイプ"の茶葉を使ったものや、葉を細かしたものなどいくつかの種類があります。なかでも2～3年前から需要が高まっているのが、このティーバッグタイプ。1ℓの水に対し、10～15gの茶葉が目安です。

お茶のみばなし

暑い季節には冷茶仕立てに

冷茶というと冷煎茶が代表的ですが、そのほかの茶葉を使っても冷茶が楽しめます。たとえば焙じ茶、玄米茶、茎茶なども、冷やして飲むのにもおすすめのお茶。煎茶や深蒸し煎茶の場合は水出しですが、焙じ茶や玄米茶、また茎茶は熱いお茶と同じように熱湯で入れ、香りを立たせてから冷やしていただきます。

1 ピッチャーに水と袋を入れて

ピッチャーやポットを利用し、水とティーバッグを入れます。300cc入りくらいの急須を使うなら、5g入りの袋1つ分を目安に。

冷煎茶の温度

茶碗の数	茶量	湯の温度	抽出時間
水1ℓ分	10〜15g	冷水	1〜2時間

2 急ぐ場合はシェイクして

そのまま冷蔵庫で1〜2時間冷やしますが、急ぐ場合はティーバッグを軽くゆすって抽出を早め、4〜5分待ちます。

3 冷やした茶碗に注ぎ入れる

十分に抽出されて鮮やかな黄緑色になったら、冷やしておいた茶碗に注ぎ入れます。茶碗に氷を入れて注いでも。

お茶のみばなし

冷たい薄茶

冷煎茶と同じく、夏ならではの日本茶の楽しみ方に、冷たい薄茶があります。冷やしていただく抹茶は、きりっとした苦味が引き立って、乾いたのどをすっきりとうるおしてくれるごちそう。おもてなしにも喜ばれます。
抹茶茶碗に茶杓2杯から2杯半の抹茶を入れ、少量の湯を加えて練ります。そこに水を少しずつ加えながら泡立て、氷を浮かべれば出来あがり。加える水の量は約100ccを目安に。

カップ　艸田正樹　洋箔コースター　濱口 恵

茶碗

もっと知りたい 茶碗まわりのエトセトラ

茶碗の色や形、そして手触りや口あたりなども、お茶の味わいを左右するポイント。甘味を楽しむお茶には薄手で小振りな茶碗が、またたっぷり飲みたい熱々のお茶には、厚手で大振りの茶碗が向いています。

磁器と陶器、湯加減で使い分けても

お茶碗には磁器と陶器のものとがあります。一般的に、玉露や煎茶用の茶器に用いられるのが磁器。煎茶や玉露は低めの温度の湯で入れるため、薄手の茶碗でも熱くないという実用的な意味合いもあります。一方熱湯でいれる番茶や焙じ茶に向くのが、厚手でぽってりとした陶器の茶碗。筒状の形には冷めにくい効果も。

水色が映える磁器の茶碗

茶碗の好みも人それぞれですが、おもてなし用に好んで使われてきたのが磁器の茶碗。磁器製の繊細な茶碗には内側が白いものが多く、お茶の水色を鮮やかに引き立たせる効果があります。季節ごとの茶請け菓子との彩りもよく、目でも楽しむお茶の時間を演出するなら、磁器の茶碗が向いています。

また陶器の茶碗は、ぬくもりを感じさせる手触りが魅力。使い込むほどに色合いが変わっていく面白みもあります。

茶碗に似合う茶托を合わせて

茶碗の印象に合わせて選びたいのが、茶托。春慶や輪島のような塗り

ものなど、ちょっと上等な茶托にはやはり磁器の茶碗が似合います。
　また磁器でも日常使いの茶器になら、木目をいかしたような素朴な味わいの茶托を組み合わせて。温かみのある陶器の茶碗なら、シンプルな白木の茶托や、布製のコースターとのコーディネートもおすすめです。

茶しぶをきれいに落とすには

使っているうちに、茶碗や急須についてしまう茶しぶ。これはお茶に含まれるカテキンなどの成分が酸化して付着したものです。茶碗の内側に茶色い茶しぶが残っていると、見た目も悪く、せっかくのおいしさも半減。目立たないうちに、まめに落とすようにしたいものです。

　茶しぶを落とす方法はいろいろですが、昔からよく利用されているのが酢と塩。酢を漂白剤の代わりに、また塩は研磨剤の役割を果たします。

　酢または塩をスポンジにつけてこすり洗いしたり、酢を多めに加えた水の中にひと晩つけておくのも効果的。そしてもうひとつ、茶しぶ落としに便利なのが、レモンの皮です。内側の白い部分で、茶しぶをこするように洗います。汚れがひどい場合は、さらに塩を併用するのがおすすめ。いずれも自然の食品を利用するので、毎日安心して使うことができます。さらに最近では、洗剤を使わずに茶しぶが落とせる専用スポンジも市販されているので、利用するのも手。頑固な茶しぶには食器用の漂白剤が便利ですが、釉薬をかけない焼締（やきしめ）などの茶碗に使うのはなるべく避けたいもの。漂白液が素地にまで染み込むので、お茶の風味を損ねる心配があります。

お茶のおいしい保存法

野菜や果物と同じように、お茶も鮮度が決め手。一度開封したものは1週間くらいを目安に飲みきるのがベストです。未開封のお茶はアルミパックのまま冷蔵庫で保存できますが、開けてしまったパックを冷凍庫や冷蔵庫に入れるのは逆効果。出し入れする度に結露の影響を受ける心配があります。開封したお茶は冷蔵庫へ戻さず、茶筒などの密閉容器に入れて、室温で管理しましょう。

シュガーポットが、器作りのきっかけに。

片口の器におかわり用のお茶を入れた、気楽なもてなしのスタイル。

眺めていて楽しいというのも茶碗には必要な要素

茶碗の作り手

林 みちよ

以前と比べ、自分の好みに合った茶碗を選ぶのに迷うほど、売場でも茶碗の種類が豊富になってきました。

伝統的な汲み出し椀、筒型、半筒形の茶碗などに混ざり、近頃人気なのが、作り手のぬくもりを伝える一点ものの茶碗。どこかいびつな形と、それぞれに個性的な色合いが目をひき、大量生産にはない味わいを放っています。

植物のように伸びやかな曲線を持つ茶碗

林さんが作り出す茶碗は、どこか植物を想わせる形や色合いが印象的。黄色、紫、銀色など、これまでの茶器には珍しい色づかいが新鮮で、また手びねりならではの曲線がやさしい雰囲気を与えてくれます。

「まっすぐにすっと伸びた形も好きですが、ここ数年器に出てくる線は、ゆるやかな曲線です…」と語る林さんが見せてくれたのは、蓮の蕾のように広がった、大きさが少しずつ違う茶碗。

中降りのものは抹茶茶碗に、またちょっと小振りなものは煎茶をいれるのに似合いそうです。

「植物の葉、花など自然にあるものは、無理がありません。自然に学ぶというのはよく言われることですが、自由な線を描いて成り立っている自然のものは、やっぱりすごいと思いますね。今までは無機質なものが好きだったんですが、最近は植物が気になって、器にもそれが反映されています」

貝殻のような質感、葉や花のような曲線を持つ林さんの茶碗は、口ざわりもよく、手にしっくり馴染みます。

独特の黄色は、和絵の具や錫（すず）などで出る色合い。また独特の銀彩は、窯に4、5回入れて

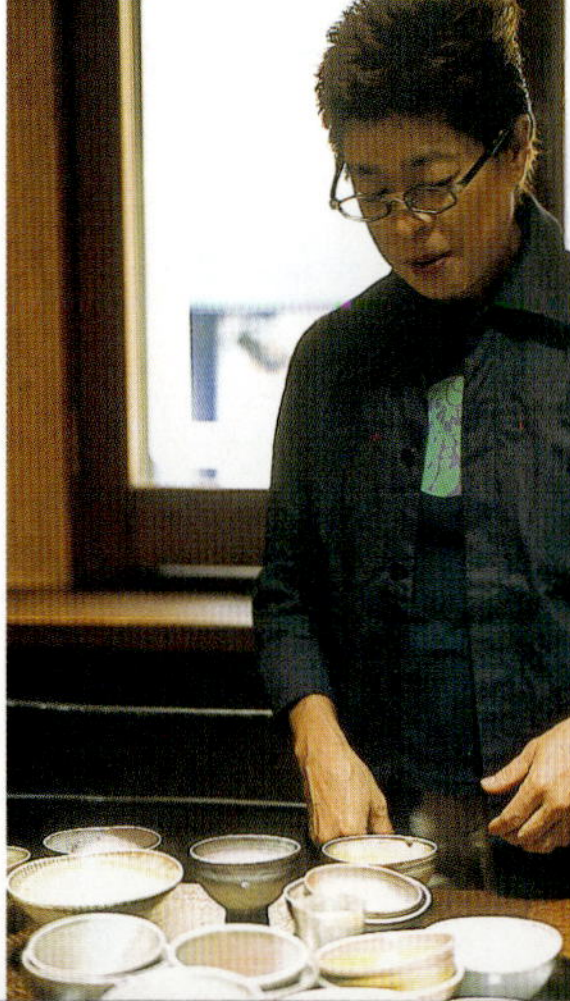

PROFILE

林みちよ・はやしみちよ
土の造形家。幼い頃から好きで描いていた絵を学ぶのと平行して、本格的に焼きものを始める。ご主人が経営するcoffee店に置くシュガーポット作りをきっかけに、茶碗や皿などの器を創作。パリ、オーストラリアでの個展、中国・武漢での陶芸家交流展で多くの美術関係者に高い評価をうける。

東京神楽坂にあるcoffee店『pow wow』では、林さんのシュガーポットや花器が使われ、購入することもできます。2階はギャラリーとしても展開。

銀を重ねています。内側に銀彩を施した茶碗（P76参照）は、抹茶の翡翠色を引き立たせ、モダンなコーディネートも楽しめる新しい感覚の抹茶茶碗として活躍しそうです。

「お茶碗は座りが大切、口ざわりがなめらかでなくてはと云われますが、置いて見て楽しいものにひかれますね。もちろん、使い勝手がよくなくてはいけないと思います。飲みやすいというのがお茶碗の基本。でも、それを踏まえた上で、どこにもありそうで、どこにもない茶碗を作り出すのは大変なことですが、楽しみでもあります。」

身近な器をフレキシブルに使いこなして

本質をおさえながらも、新しい茶碗の形を求める林さんの考え方は、お茶支度のスタイルにも見つけることができます。

たとえば、片口の器にお茶を入れ、茶碗に添えて供じる方法もそのひとつ。これなら、いただく側もおかわりしやすい気安さが生まれます。ちょっとしたおもてなしなど、家庭での手軽なアレンジの参考になる取り合わせ。

手持ちの器や道具を一度見直して、あれこれと組み合わせてみれば、新鮮なコーディネートが発見できるかもしれません。

日本茶はもちろんのこと、色鮮やかなハーブティーを入れてもしっくりくる林さんの茶碗。シルバーのコースターとの取り合わせも、新鮮。

●林みちよさんの器は下記へお問い合わせください。
お問い合わせ先／
ホームページ「掌」
http://www.tanagokoro.net/
「pow wow」
東京都新宿区神楽坂2-7
TEL 03-3260-8973

其の三

日本茶の魅力にはまったら

日本茶の本当のおいしさに触れると
どんどんふくらむのが
お茶への好奇心。
今度は違う種類を買ってみよう
きちんといれてみよう、と
身近なお茶の時間の楽しみも広がります。
また興味を持ってまわりを見渡せば
お茶碗や急須など、お茶まわりの
器や道具が以前にも増して充実。
気に入ったお茶碗を見つければ
お茶の味わいもさらに深まるというもの。

粉引急須　小関康子

【芽茶】

のんびり芽茶《めちゃ》

待ち時間から始まる『芽茶』の味わい。お茶の苦みを味わいたいなら、ゆっくり開く茶葉を待ちます。

◎製造法と特徴　芽茶は、玉露や煎茶を作る過程でできるお茶。新芽や葉の先端が切れたものを集めたもので、くるくると丸まった茶葉の形に特徴があります。

葉が開くのに時間がかかるため、一煎目はしばらく待たなくてはなりません。でも、その待つ時間も芽茶をおいしくいただくひとつの要素。芽の部分にはうま味や甘味などお茶のエッセンスが集まっているので、味わいは濃厚。頭の中をすっきりさせたい時には、苦みのきいた芽茶がおすすめです。茶葉がゆっくりと開いていくのを、のんびり待ちましょう。ガラス製の急須やポットでいれれば、葉がゆっくり開いていく様子がわかり、見ているだけで不思議と心が和みます。開き具合を目で確かめて、ちょうどいいタイミングでお茶碗へ。

抽出が早い芽茶ですが、一煎目は、茶葉が開くのを少し待ちます。クルッと丸まった葉が開いたら、好タイミング。

水色

黄色味が強く少し濁った水色

鮮やかな黄色味が印象的な水色です。芽はもちろんのこと、細かい茶葉も含まれているので、比較的色が出やすいのも特徴です。湯を注ぐと煎茶よりもやや強い香気が立ちのぼります。

茶葉

丸まった細かい葉が特徴的

荒茶を製茶へと仕上げる段階で出た芽先の部分を集めているため、細かくくるっと丸まった葉が特徴です。玉露や煎茶を作る過程で作られるお茶なので、茶葉からも同様のよい香りがします。葉が細かいため、茶こしを使って余分な葉が茶碗に入るのを防ぎます。

くるりと丸まった茶葉には、お茶の濃厚な味わいがギュッと凝縮

最近見かけることが多くなったのが、ガラス製の急須やポットです。冷茶用のものはこれまでにもありましたが、熱いお茶を入れられる耐熱性のガラス急須も充実。ハーブティーを楽しむ大ぶりのものに加え、オーソドックスな急須形のタイプも登場し、芽茶を入れるのにもちょうどいいサイズです。

中国茶の龍井（ロンジン）のように、茶葉が上下に揺れるのを眺めて待つのも楽しいもの。

芽茶の一煎目は、葉が開きにくいため、湯を注いでから40秒ほど、茶葉が開くのを目で見ながら待ちましょう。開ききっていないうちに摘みとられた芯や幼葉が、徐々に開くと共に、水色も次第に濃くなっていきます。

もちろん芽茶以外の茶葉でも、湯を注いでから葉が開いていく様子は同じ。玉露など、2分30秒ほどじっくりと抽出を待たなければならないお茶にもおすすめです。

芽茶のおいしいいれ方

濃厚な味わいと、きりっとした渋味をいかしたい芽茶は、熱めの湯で抽出時間を少し短かめにします。一煎目は40秒ほど蒸らしますが、二煎目は30秒くらいでも、十分濃い水色と味わいになります。

芽茶の温度

茶碗の数	茶量	湯の温度	抽出時間
3	6g	90度	40秒

お茶のみばなし

片口の器をひとつ

沸騰させた湯を適温まで下げる時に、あると便利なのが片口の器です。それ専用の湯ざましの代わりに、質感やデザインも豊富な片口の小鉢を利用するのも手。持ち手がついているほうが湯を入れた時熱くなくて安心ですが、それにぴったりなのが近頃人気の納豆鉢。手びねりのような素朴な風合いや素焼きのものなど種類も豊富に出回っています。

【芽茶】

渋みを立たせた深い味わいの芽茶は気分転換にも最適

蜻蛉茶碗と白磁焼〆皿　加藤仁香

楽しみかた

庭先《にわさき》番茶会《ばんちゃかい》

居心地のいい場所に持ち出して

美しい景色を眺めながら野外で茶会を楽しむのが〝野点(のだて)〟。庭先やテラスなどの空間にお茶道具を持ち出せば、そんな野点気分を手軽に味わうことができます。お抹茶に限らず、番茶やほうじ茶などいつものお茶でも気分は満喫。手つきの茶櫃は移動にも便利ですが、身近にあるかごを利用するのもおすすめです。

(手前)湯呑　山口正文

お茶時間の

茶櫃(ちゃびつ)や茶筒(ちゃづつ)など、ちょっと前まで身近にあったお茶まわりの道具が、また見直されています。さらに"和"のブームを受けて、以前にも増して楽しくアイデアに溢れた小物や道具も充実。たとえば自分のお茶道具を入れておくマイ茶セットや、簡易な野点セット、また旅に持っていける携帯用の茶道具など、手元にあるだけでも楽しくなるものばかり。ちょっとまわりを見回せばお茶の時間をさらに盛りあげる工夫がいっぱい見つかります。

それぞれが好みの茶葉を選んで

茶葉瓶《ちゃばびん》

なん人かで集まってお茶飲みをする時は、いろいろな種類の茶葉を空き瓶に並べて自由にチョイス。茶葉の保存では湿気や温度の管理に加え、光にも注意が必要です。でも、その時楽しむ少量分ずつの茶葉なら、こんな収納法も、会話が弾むきっかけになりそう。ただし臭いが移らないよう、瓶は煮沸してから再利用を。

小振りなスプーンやレンゲを利用しても

茶匙《ちゃさじ》

茶葉をすくって急須に入れる時に必要なのが、茶匙。本来は抹茶をすくうための匙（＝茶杓・ちゃしゃく）のことを言いましたが、いまでは茶葉全般をすくうための匙にも用いられます。竹製や木地、また塗りものが一般的ですが、小さめのスプーンで代用するのも手。

専用の茶匙は一回で2〜3gの茶葉がすくえます。小振りなレンゲで代用すると茶葉の量は同じくらい。

茶籠《ちゃかご》

公園や川原でも香り高いお茶を楽しんで

ポットに入れておくと、どうしても損ないがちなお茶の香り。いれたての香りと風味を大切にするなら、野外にも持っていけるこんなお茶セットを用意すると便利。熱いお湯を入れたポットと茶葉をセットして、散歩のおとものほか、動きたくない寒い夜用にも手軽。

旅湯呑《たびゆのみ》

旅行や、仕事場へと携えて一服

3日分くらいの茶葉が入れられそうな小さな茶筒。1人暮らし用にも使いよさそう。

お茶通の間でひそかに人気を呼んでいるのが、この旅湯呑のセット。小さな茶筒と茶碗が、蓋つきの筒籠にすっぽり納まり、旅先の宿でも、お気に入りのお茶碗で好みのお茶が味わえます。白木のシンプルな茶筒は軽くて密封性もよく、持ち運びにも安心。また旅行だけでなく仕事場に持参すれば、いつもと気分もかわって、ちょっと贅沢なお茶の時間が楽しめるはず。

茶碗　藤平正文　面取旅茶筒　三谷龍二

茶碗引出し《ちゃわんひきだし》

不揃いの茶碗は浅い引出しにしまって

気に入った茶碗をひとつずつ集めていくと、ちょっと困るのがその収納です。揃いの茶碗なら重ねることもできますが、形や厚みがバラバラなものは重ねても不安定で破損も心配。そこでおすすめなのが、引出しへの収納です。各自が好きな器を選ぶ楽しみも増える、見せる収納としても活躍。

眺める急須《ながめるきゅうす》

食器棚に押し込めるより、飾って収納

近頃和食器コーナーで増えているのが、急須や茶碗をはじめとする茶器類です。日本茶、中国茶、紅茶などお茶の種類を問わず兼用できる急須など、お茶の時間をより手軽に、より楽しくする機能やデザインが充実。急須は、全体の形もさることながら、持ち手が後ろについている後手（うしろで）や横手（よこで）など、その位置も異なります。持ち手を握ってみて、手のひらにしっくりくる急須を選びたいもの。毎日使うものなら、飾って楽しく収納を。

消臭・脱臭効果のある炭を、和紙で包んで一緒に入れて。食器棚や冷蔵庫にも最適。

上段（左から）朱泥窯変急須　黒田隆
銀彩水指　林みちよ
下段（左から）炭化焼〆急須　尾形アツシ
炭化焼〆急須　黒田隆
粉引急須　小山及文彦

好みのボックスで
オリジナルの茶櫃を

玉茶箱《たまちゃばこ》

茶道具を入れておく茶櫃には、漆塗りや樹皮細工のものなど伝統工芸的なものが多数あります。でももう少しカジュアルな茶櫃を望むなら、市販の箱類を利用して、オリジナルの茶箱に。

上から右回り茶碗
藤平正文　加藤仁香　伊藤慶二　山田晶
炭化焼〆急須　黒田隆　木箱　ギャルリももぐさ

リフレッシュの番茶《ばんちゃ》

さっぱりとした『番茶』の味わいは、日に何度飲んでも飽きのこない味

瀬戸唐津汲出茶碗　加藤綱助

【番茶】

価格も手頃なため、毎日たっぷり飲むお茶としても人気の番茶。

◎**製造法と味わい**　番茶は、煎茶用の茶葉を摘んだ後の葉や茎、また製造の過程で除かれた葉を使って作られます。一般的には一番茶や二番茶の摘採後の葉を利用するため、煎茶のような甘味は少なめですが、さっぱりとした喉ごしと味わいが持ち味です。

◎**特徴**　番茶には、注目のカテキン類がたっぷり含まれ、気分をリフレッシュさせたい時の飲みものとしても適しています。煎茶に比べると茶葉の値段も安いので、食事やおやつの時間はもちろんのこと、職場などたくさん消費する場所にも嬉しいお茶です。土瓶など大きめの急須を使い、たっぷりの湯と茶葉でいれましょう。

茶葉　なるべく茶葉が小さいものを

煎茶用の茶葉を摘んだ後の葉を刈りとるので、大きい葉や茎などが混ざっています。なるべく小さめの茶葉が揃って、赤みのないものがいいとされています。高級・中級煎茶以下の茶葉としてくくられているため、100ｇ300円前後から買えるリーズナブルなお茶。

水色　煎茶より少し濃いめの水色に

煎茶と同じ樹の葉から作られる番茶ですが、熱湯を注いで短時間でいれます。煎茶より茶葉を多く使うため少し濃いめの水色に。二煎目でお茶の成分がほとんど出てしまうので、それ以降は茶葉を取り替えます。

番茶のおいしいいれ方

1 急須に茶葉を入れる

急須と茶碗に湯を入れて温めたら、その湯を捨てて茶葉を入れます。茶葉の量は、5人分で15gを目安にします。

2 急須に熱い湯を注ぐ

茶葉を入れた急須に熱湯を注ぎます。湯の量は約650cc、1人分130ccが目安。大きめの急須を使うのがおすすめ。

3 茶碗に茶を注ぐ

30秒ほど待ってから茶碗に注ぎ分け、最後の一滴まで絞りきります。二煎目はひと呼吸おいてからすぐに注ぎます。

番茶の温度

茶碗の数	茶量	湯の温度	抽出時間
5	15g	熱湯	30秒

粉引急須　小関康子
淡茶汲出茶碗　山田 晶

豊富なカテキンが、風邪や虫歯の予防にも

番茶は、もともとは晩（おそ）摘みの、成熟した葉で作るお茶（晩茶）のことを指しました。日光を遮って育てる玉露や高級煎茶が、うま味と甘味を蓄える一方、太陽をいっぱいに浴びた番茶の葉はカテキンが豊富。抗酸化作用があることでも注目されているカテキンには、頭をすっきりさせるリフレッシュ効果のほか、強力な殺菌効果や発ガン抑制、血中コレステロールの低下や抗アレルギーなど、多くの働きが期待されています。毎日習慣的に飲むことで、虫歯の予防や風邪対策にも役立つ、安くておいしい健康茶と言えます。

お茶のみばなし

茶摘みは何番まで？

お茶の樹は、新芽を摘んだ後からも次々と発芽してきます。その年の一番はじめに出てきた芽を摘んで作るお茶が「一番茶」、いわゆる新茶です。それから40～50日ほどおいて発芽した芽を使ったのが「二番茶」で、6月下旬～7月上旬頃。さらにその後発芽した3回目の芽で作るのが「三番茶」。三番茶摘みは8月上旬頃まで続きますが「四番茶」まで続く産地もあります。

【番茶】

染付蓋碗　萌窯

人気復活の日本茶喫茶で見つけたアイデア集

その時期におすすめの茶葉が並びます。

通りから覗くウィンドウは既に和みの空間。

近年、街なかに増えているのが日本茶や中国茶の専門店です。豊富な茶葉の中から気になるものを試飲できたり、またマイ茶葉をキープできるお店など、どこも個性派揃い。コーヒーショップのセルフサービス＆ファストフード化が進む一方で、お茶党はゆっくりくつろげる本来の喫茶店指向になりつつあるようです。

そんな状況の中、そのよさを見直されてきたのが、日本茶喫茶や昔ながらのお茶屋さん。茶葉の種類やいれ方など、基本的なお茶情報はもちろんのこと、季節ごとのお茶の楽しみ方や演出法まで、いろいろとアドバイスしてもらえます。いわばご近所の専門家なので、お茶の楽しみを広げたい人には心強い味方と言えそうです。

アイデア 1 いろいろなお茶請けを少量ずつ盛り合わせて

“茶請け・ちゃうけ”は、お茶を飲む時に添えるお菓子などのことで、茶菓子や茶の子とも呼ばれます。菓子といっても甘いものとは限らず、漬け物など塩味のものも含まれます。むしろ砂糖が普及するまでは塩気のある茶請けが普通で、室町時代の茶請けには昆布、海苔、椎茸、そして味噌味のものなどが多かったようです。

茶請けは、お茶を一層おいしくする楽しみのひとつ。その支度にちょっとこだわれば、家族にもまたおもてなしにも喜ばれます。老舗の日本茶葉専門喫茶店『つきまさ』では、各種類の中から好みの茶請が選べるシステムに。ミニ籠や猪口など小さな器を活用して盛り合わせれば、食べることに加え、選ぶ楽しみも味わえます。

アイデア 2

家庭でも真似したい 番茶のアレンジ 梅しょうが番茶

昔から、体にいいとして知られているのが、朝に梅干しと番茶を一緒にとる習慣です。目覚めをよくすると共に胃腸の働きを活発にし、食欲増進の効果も期待できます。また別々にとるのではなく、番茶に梅干しを入れた梅番茶も酔いざましの特効薬として知られる飲み方。二日酔いがひどい場合でも、梅番茶が徐々に消化を促して食欲を回復させてくれます。

『つきまさ』の“梅しょうが番茶”は、梅干しに加えておろししょうがが入った番茶。しょうがの作用で体が温まるので、冬や風邪をひいた時には最適の工夫茶です。

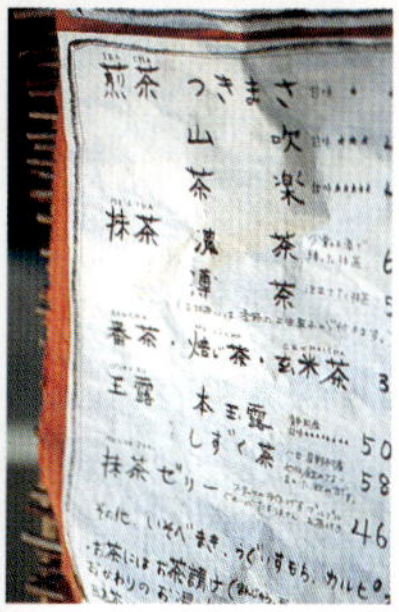

『つきまさ』では、お茶を頼むとお湯がたっぷり入ったポットも一緒にテーブルへ。メニューにはお茶の特徴も記され、頼みやすい。

アイデア 3

たとえば抹茶ゼリーと焙じ茶 二つの味わいを楽しむデザート膳

日本茶喫茶や甘味処、またお茶もいただける和菓子屋さんに入ったら、ぜひ参考にしたいのがお茶とお茶を使ったお菓子の組み合わせです。たとえば『つきまさ』では、抹茶ゼリーと焙じ茶がセットに。抹茶のやわらかな渋味を損なうことなく、焙じ茶の香ばしいおいしさを一緒に楽しむことができます。

また甘味処の人気メニュー、抹茶アイスクリームや抹茶クリームあんみつには、煎茶が添えられる場合が多いもの。後味に甘味を残すお茶デザートには、すっきりとした煎茶がよく合います。さらに、抹茶あんを包んだ葛まんじゅうなど、比較的さっぱりとした味わいの和菓子には、とろっとした甘味の玉露を添えるなど、お茶同士の相性を知る参考に。

花やハーブ、そしてスパイス お茶に加えて香りと効用を高めます

お茶に、何か別のものを加えて飲む楽しみ方は、世界各地に見られます。古くから知られているものは中国の〝花茶〟で、花だけに湯を注ぐ方法の他、烏龍茶や緑茶などと花をブレンドするやり方も。有名な花茶といえばジャスミン茶ですが、元の時代にはハス、ラン、バラなどの花が好まれていたそうです。またインドや中近東諸国では紅茶にしょうが、シナモン、クローブ、カルダモンなどのスパイスを加える習慣が。モロッコでは、厚手のコップに新鮮なミントの葉をたっぷり入れて熱い紅茶を注ぎ、砂糖を多めに入れて飲むスタイルが有名です。いずれも増幅した香りを楽しむことに加え、新陳代謝や血行を促す作用など、健康を保つ智恵が詰まったお茶と言えます。

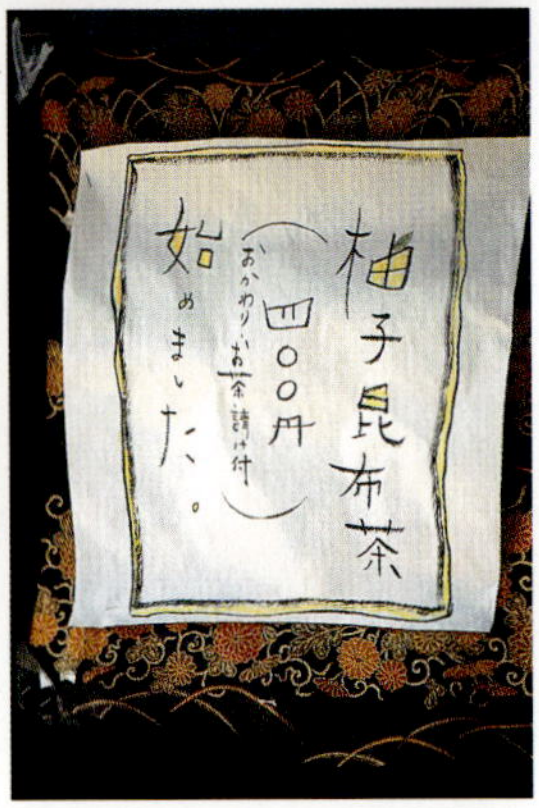

日本茶を扱うお店では、お茶まわりの器や、お茶に関する流行りものを知る楽しみも。茶香炉は手頃な価格と穏やかな香り効果が人気です。

アイデア 4

食べ過ぎた時に ぴったりの大根番茶

番茶は胃にもやさしく、他の食材と合わせるなどのアレンジもしやすいお茶です。茶粥や奈良の茶飯、また茶漬けにも、古くから番茶が用いられてきました。

熱々の番茶に、大根おろしを加えた大根番茶。大根には消化酵素のジアスターゼやアミラーゼが含まれているので、食べ過ぎや胃もたれする時に飲むと、胃腸がすっきりとします。また強い殺菌力や咳を鎮める作用もあるので、喉が痛い時や咳止めにも最適のお茶です。お茶による適度な水分と、大根の食物繊維を一緒にとることができるので、便秘の解消にも効果的。ニキビや吹き出ものなど、お肌のトラブル解消にも役立ちます。スプーンなどで、全体をよく混ぜながらいただきます。

アイデア5

疲れた時には甘味を少し加えた抹茶ドリンク

抹茶は、茶葉そのものを飲むことができるお茶。湯で抽出したり煮出したりする他のお茶とは異なり、むしろ“お茶を食べる”ことに近いものです。茶葉に含まれる栄養分を茶柄として捨てることもなく、また水には溶けないビタミンA、E、Kなどの脂溶性ビタミンを無駄なくとることができます。

そんな抹茶を使ったドリンクは、大人から子供まで親しめる、手軽な健康メニューです。抹茶ミルクや抹茶ヨーグルトは、乳製品独特の匂いが苦手な人にもおすすめ。また、砂糖やガムシロップで甘味を足すと飲みやすくなり、エネルギーになりやすい糖質の補給は、疲労回復にも有効です。最初から甘味を加えた抹茶も市販されているので、常備しておくと重宝です。

好みのお茶の発見や季節ごとのお茶が参考に

中国の"茶楼"や"茶寮"、トルコの"チャイハネ"など、国ごとに呼び名は違っても、喫茶店はお茶と会話を楽しむ憩いの空間。お店ごとに自慢の茶葉があるので、おすすめを試して、産地ごとの特徴を覚えることもできます。最近では、お茶のおいしい入れ方や風味の違いを質問する若者も多いのだとか。今まで飲んだことのない新しいお茶を探すなら、まずは喫茶店でプロがいれた味わいを一服。

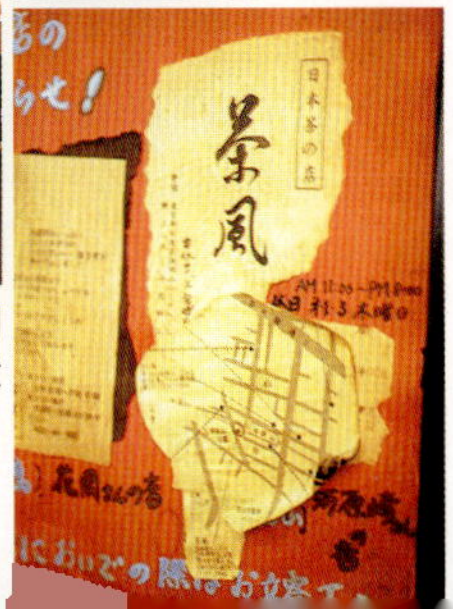

昭和53年開業の日本茶葉専門喫茶店『つきまさ』。静岡産の茶葉や、茶器も買えます。
東京都世田谷区代沢5-28-16
TEL 03-3410-5943

健康と美容に効果的な日本茶の効用

●中国茶に続く近年の日本茶ブーム。身近な食の再発見に加え、緑茶の成分ががからだに有効ということがわかってきたのも、人気の要因です。日本茶にはビタミンやミネラルが豊富なことに加え、最近特に注目されているのがカテキンの働き。がんや糖尿病の予防にも有効として期待の緑茶成分です。

ヨーロッパでもここ3、4年緑茶の効用が注目され、ドイツでは〝ヤーパンセンチャ〟や〝ヤーパンバンチャ〟という名で市販されているほどの日本茶ブーム。日本や中国からの茶葉の輸入もグンと増えています。古くから私たちの生活に深く関わってきた日本茶。そのおいしさと一緒に効用も上手に取り入れて、健康と若々しさのキープに役立てましょう。

豊富なビタミン類が風邪予防や美肌づくりに

●緑茶には、ビタミンB群、ビタミンC、ビタミンE、そして体内でビタミンAに代わるβ-カロチンが豊富に、そしてバランスよく含まれています。

たとえば煎茶の葉（100g中）に含まれるビタミンCは260mgと、ブロッコリーの2倍強。Cは体内でコラーゲンを作り出すのに欠かせないビタミンで、シミの原因となるメラニンの生成を抑え、白く美しい素肌づくりにも効果的です。また発がん物質や体内の老化物質の抑制にも関与し、風邪の予防にも役立ちます。

ビタミンAは、皮膚や粘膜を健康に保つのに大切な栄養素。ニキビや吹き出ものが気になる、肌が乾燥するといったトラブルの解消にも、1杯の緑茶が役立ちます。またビタミンCと同じく、風邪を引きやすい人にも、Aは体質改善に必要なビタミンです。

お湯で抽出して飲むお茶は、茶葉そのものに比べて栄養価も減りますが、毎日習慣的に飲む、というスタイルが、結果的に栄養効果を高めます。

カフェイン効果で疲労回復とリフレッシュ

●よく眠気ざましにコーヒーと言われますが、緑茶にも覚醒作用のあるカフェインが含まれています。

カフェインには、眠気を覚ます作用のほか、利尿作用や消化を促す働きもあり、中枢神経に作用して疲労を回復させるリフレッシュ

効果もあります。

また、脂肪の分解を促進させる働きもあることから、女性にとってはダイエット効果も注目の的。運動の前に飲むと、エネルギー源となるグリコーゲンが使われるより先に脂肪が燃焼するので、スポーツをする人にとっても有効です。

若々しさを保つビタミンEも充実

●生活習慣病の予防に欠かせないのがビタミンEです。動脈硬化や心疾患などの病気を引き起こす一因が"過酸化脂質"。これはいわば体内のサビのようなものですが、ビタミンEには、この過酸化脂質の沈着をくい止める働きがあります。また血行をよくする作用もあるため、冷え性の改善にも効果的。"老化防止ビタミン"とも呼ばれ、体内の細胞を若々しく保ち、ぼけ予防にも有効です。
ビタミンEは水に溶けない脂溶性ビタミンのため、茶葉ごと飲む抹茶や、茶葉を使った料理（P65～71参照）を利用して、その栄養効果を取り入れましょう。

生活習慣病の予防に期待されるカテキン

●お茶の渋味成分であるカテキンには、体に有効なさまざまな働きがあることが知られています。
カテキンの抗がん作用も、研究結果が注目される効用のひとつ。カテキンが細胞膜を丈夫にして正常に保つ働きをし、さらにビタミンやミネラルとの相乗効果で、がんの発生を抑制する効果があると言われています。

また、悪玉コレステロールを減らして動脈硬化の予防に。さらには血糖値の上昇を抑える働きもあるなど、増え続ける生活習慣病の予防に、カテキンの効用がおおいに期待されています。

フッ素とフラボノイドで虫歯と口臭を予防

●歯磨き粉にも含まれているフッ素には、虫歯を予防して、歯を健康に保つ働きがあります。お茶の葉は、他の植物と比べてフッ素の含有量が多く、食中食後のお茶は虫歯を作らないためにも利にかなった習慣。
またお茶には、ガムでもお馴染みのフラボノイドも含まれています。このフラボノイドには、強い抗菌作用や抗酸化作用に加えて、消臭効果も！　にんにくやねぎを食べた後など、匂いが気になる時にはお茶でうがいをするのもおすすめです。

食中毒を防ぐ抗菌作用も

●カテキンの持つ働きの中には、抗菌や解毒作用など、毎日の生活に役立つ効用も多くあります。
ブドウ球菌やボツリヌス菌などの食中毒菌を、カテキンの強力な殺菌効果が退治。梅雨どきなど食中毒が心配な季節、また生ものを食べた後には、意識してたっぷりの日本茶を飲みましょう。

また口臭予防と同様、普段からお茶でうがいをする習慣をつけておくと、風邪の予防に効果的です。

日本茶のもつ栄養効果、
また「日本茶インストラクター」制度が
注目されるなど、最近では世代を問わず、
お茶への関心が高まってきています。
私たちの生活に密着した日本茶ですが、
知られざる魅力もまだまだ豊富。
身近な日本茶をもっと楽しむために、
まずは一服の、
おいしいお茶をいれてみませんか。

茶器

※茶托・コースターは含まれません

旅湯呑セット
三谷龍二＋木曽志真雄、他￥20,000
取り扱い店「掌」
（写真の器は現物と異なります）

林 みちよ
黄色茶碗　￥5,000
取り扱い店「掌」

黒田 隆
炭化焼〆急須￥10,000 ￥20,000（写真）
取り扱い店「砂田」

三浦千穂
灰志野釉茶碗　￥1,600
取り扱い店「掌」

加藤仁香
白磁焼〆湯呑　￥2,000
取り扱い店「掌」

尾形アツシ
炭化焼〆急須　￥10,000
取り扱い店「元々」

小関康子
粉引Tea bowl　￥2,500
取り扱い店「掌」

山田 晶
淡茶汲出　￥2,500
取り扱い店「GALLERYにん」又は「掌」

山口正文
黒織部筒碗　￥13,000
取り扱い店「掌」
（器の柄は１個づつ異なります）

小関康子
Tea bowl　白・黒　各￥2,400
取り扱い店「掌」

山田 晶
黄彩コーヒー碗皿（ソーサー付）￥5,000
取り扱い店「GALLERYにん」又は「掌」

艸田正樹
風の人のグラス（M）￥4,200
取り扱い店「掌」

上記写真の器取り扱いは………

●「掌」http://www.tanagokoro.net/

「掌」では器をホームページにて限定販売（各10〜20個）しております。ホームページでお申し込みください。限定のため数に限りがあります。売り切れの際はご容赦ください。さらなる追加注文はメールにて御相談ください。「掌」で購入の場合、代金は商品到着時に、現品と引き換えになります。上記の金額に消費税、送料と代引手数料（300円）を別途いただきます。くわしくはホームページで再度御確認ください。本誌にて撮影に使用した器の情報も載っております。

●「GALLERY にん」
〒150-0002 東京都渋谷区渋谷2-8-4　TEL 03-3400-1357

●「手づくりの心　砂田」
〒290-0056 千葉県市原市五井中央西2-15-14
TEL 0436-21-5818　※他にも黒田隆さんの急須取り扱ってます。

●「くらしの器　元々」
〒201-0012 東京都狛江市中和泉2-17-11　TEL 03-5497-6260

川根茶（P34〜45）

●小倉農園　静岡県榛原郡本川根町崎平198
・ご注文は、ファックスまたはホームページ上で受けつけています。
FAX 0547-59-2766
URL http://www.interq.or.jp/power/ko0516/

●株式会社澤本園　静岡県榛原郡本川根町田代261
・ご注文は電話またはファックスで受けつけています。
TEL 0547-59-2136　FAX 0547-59-2238

緑茶サブレ（P82）

●有限会社グリュイエール　茨城県笠間市下市毛285
・ご注文は電話またはファックスで受けつけています。
TEL　0296-72-6557　FAX　0296-72-6582

取材協力（敬称略）

小倉農園

株式会社澤本園

日本茶葉専門喫茶店　つきまさ

有限会社グリュイエール

黒田　隆

林みちよ

浦上　満

高瀬一成、和子

・P78に使用した図版は、オリジナルを
一部加工してあります。

制作スタッフ

撮影	高瀬　亮（STファーム）
編集・取材	佐藤由紀子（STファーム）
	中村真紀子
	門脇紀子
カバー・本文デザイン	津嶋佐代子（津嶋デザイン事務所）
料理制作（茶葉料理）	太田晶子
器コーディネート	津嶋佐代子
	STファーム

おいしい日本茶の事典

編　者　成美堂出版編集部
発行者　深　見　悦　司
印刷所　凸版印刷株式会社

発　行　所
成美堂出版
〒112-8533 東京都文京区水道1-8-2
電話(03)3814-4351 振替 00170-3-4466

PRINTED IN JAPAN
ISBN4-415-01847-5